Weblog van een Bruggertje

Lees ook:
Weblog van een Bijna-Brugger

Annemarie Bon

Weblog van een Bruggertje

Van Holkema & Warendorf

www.unieboek.nl
www.annemariebon.nl
www.weblogvanmichiel.nl

ISBN 978 90 475 0987 5
NUR 283

Unieboek BV, Postbus 97, 3990 DB Houten

Tekst: Annemarie Bon
Omslagontwerp: Marlies Visser
Zetwerk binnenwerk: ZetSpiegel, Best

Info voor nieuwkomers op deze weblog

Voor de eerste keer op mijn weblog? Geen probleem. In het archief [*Weblog van een antiheld* en *Weblog van een Bijna-Brugger*] kun je alles nalezen. Maar ook zonder voorkennis kun je mijn blogs prima volgen. Er zijn maar een paar dingen die je moet weten.

1. Ik ben Michiel en ik ben bijna anti-alles. Ik ben voorzitter van de anti-partij en omdat de anti-partij tegen partijvorming is, ben ik meteen ook het enige lid.
2. Ik hou het nieuws als een terriër in de gaten en plaats op deze blog de vreemdste berichten. Ze zijn echt gebeurd. Natuurlijk krijg je er mijn commentaar bij.
3. Ik heb vragen, heel veel vragen. Maar aan wie moet ik ze stellen?
4. Ik zit sinds 3 september in de brugklas en heb ontdekt hoe waar de evolutietheorie van Darwin is: in de jungle die school heet, is het *struggle for life* en *survival of the fittest*!

Snap je niet waarover ik het heb? Laat dan gewoon even een berichtje achter op www.weblogvanmichiel.nl of mail naar weblogvanmichiel@gmail.com.
Maar wil je me alsjeblieft geen kettingmail sturen die eindigt met teksten als: *Stuur deze mail door aan twintig andere contacten van je, anders overkomt je binnen vier weken grote rampspoed.* Ik delete die toch.

En stuur me ook geen hoaxen die vertellen dat er een levensgevaarlijk virus is ontdekt waar Windows nog geen oplossing voor heeft. Vervolgens krijg je dan de opdracht om allerlei programma's van je harde schijf te wissen. Ik dacht het niet! Op idiote groepsuitnodigingen ga ik ook niet in. Sterker nog: ik verwijder je meteen van mijn vriendenlijst.

Michiel

'Michiel, Michiel, Michiel zijn lijf is klein.
Zijn daden benne groot, zijn daden benne groot,
hij zal nog sterven een heldendood.
Hij zal nog sterven, nog sterven, een heldendood.'
[rappen op de melodie van *Piet Hein en de Zilvervloot*]

Polls

Je gaat na de zomer naar de brugklas. Waar ben je het mee eens?

- Ik kan niet wachten tot de vakantie voorbij is, zo'n zin heb ik in de brugklas. (13%)
- Ik zie wel wat er gebeurt. Het maakt me allemaal niets uit. (56%)
- Ik vind het vreselijk om naar de brugklas te moeten. Ik mis groep 8 nu al. (25%)
- Ik doe het gewoon niet. Na de vakantie ga ik terug naar de basisschool. (6%)

Reacties

Ik heb er zo'n zin in!
Teun

Ik ga nu naar de derde...
Toen ik van groep 8 naar de eerste ging liet ik het maar gebeuren☺
Maar in de eerste wordt het echt leuk en je maakt vanzelf weer leuke vrienden en vriendinnen☺
Veel plezier in de brugklas☺
Marinda

Ik moest huilen en wilde niet naar de brugklas☺
Eenmaal in de brugklas vond ik basisschoolkinderen maar saai en kinderachtig☺
Karlijn

Ik heb zoiets van: wat kan mij het schelen. Ik doe toch wel waar ik zelf zin in heb.
Bertjuh

Je gaat na de zomer naar de brugklas. Wanneer ga jij je boeken kaften?

- Heb ik al gedaan. (17%)
- Dat doet mijn moeder. (43%)
- Dat doe ik pas als mijn mentor het zegt. (19%)
- Ik kaft mijn boeken niet. (21%)

Maandag 3 september, 1

Drie dagen voor de verjaardag van mijn ❤ Eline

Anti-klein

Wat is klein?

- een vliegje in een spinnenweb
- het vliegje in het spinnenweb dat is blijven plakken aan je haar
- de glasscherf in de achterband van je fiets
- de elastiekjes aan mijn beugel
- een hoofdluis (komt op de middelbare niet meer voor, zeggen ze)
- een regendruppel (maar van vele kleintjes word je wél nat, merkte ik vandaag tijdens de kennismaking op school)
- een fietssleuteltje
- mijn fietssleuteltje (jaha, kwijt dus)
- een tuinkabouter
- ik

Reactie, 3 september
Ik ook.
Yusuf

Maandag 3 september, 2

Aan de klassenindeling is niets veranderd. Ook al hebben Milan (1a) en ik (1b) geprotesteerd bij de brugklascoördinator.

In mijn klas zitten:
Esma, Mohamed, Chaukwau, Dion, Joyce, Yvonne, Jelle, Niek, Sem, Rik, Joost, Cheyenne, Wim, Ramon, Luuk, Liselot, Amber, Lisette, Crista, Sharon, Kimberley, Kim, Leslie en yes: Eline.
Waarom er verder niemand van mijn basisschool bij me in de klas zit?
Ik denk dat ze me over het hoofd hebben gezien.
Milan trouwens ook.

Reactie, 3 september
Hopelijk komen onze roosters een beetje overeen. Kunnen we tenminste samen naar school fietsen. Maar dat weten we morgen.
Milan

Dinsdag 4 september
Twee dagen voor de verjaardag van mijn ❤ Eline

Anti-regels

Vandaag mijn rooster opgehaald en een heleboel regels bijgeleerd. Mijn klassendocent zei dat hij morgen alles zou herhalen, omdat bruggers veel vergeten. Ik heb ze helaas onthouden.

- Een leraar spreek je aan met meneer. Een lerares niet met mevrouw, maar met juffrouw. Ik vind dat discriminatie.
- Het is verboden door de hoofdingang de school binnen te gaan. De straf is een rode kaart. En een rode kaart betekent een middag nablijven.
- Het is verboden alcohol of drugs te gebruiken in de pauze. Tijdens de les trouwens ook.
- Jongens mogen geen pet op, ook niet achterstevoren. Meisjes mogen wel een hoofddoek om, zelfs achterstevoren.
- We dragen om de beurt het klassenboek. Over twee weken kiezen we een klassenvertegenwoordiger. Die heeft dan die taak voor de rest van het jaar. Als je het klassenboek moet dragen, mag je er geen chocolademelk over knoeien. Gewone melk ook niet.
- Je moet het stickertje met het nummer van je kluisje van je sleuteltje afhalen, zodat niemand weet van welk kluisje het is. Maar waarom er hardop in de klas werd voorgelezen wie welk nummer heeft, dat snap ik dan weer niet. Wat mijn kluisje is, weet sowieso iedereen. Het is er eentje boven aan de rij. Ik kan er niet bij.

- Je moet je fiets in het klassenfietsenrek zetten en op slot doen.
- Het is verboden zelf te kiezen naast wie je gaat zitten. Dat bepaalt de klassendocent.
- Je moet een naambordje maken en dat op je tafeltje zetten. De leukste wint een prijs. Opvallend is dat hoe kleiner de brugger is, hoe groter het naambordje. Ik ben een uitzondering. Mijn naambordje is ook erg klein.
- Het is verboden boterhamzakjes en andere rotzooi op de grond te gooien. De straf is een rode kaart.
- Ongewenste intimiteiten zijn niet toegestaan. Deze regel geldt zowel voor leerlingen als docenten.
- Het is verboden wapens bij je te hebben. Bij overtreding word je direct geschorst.
- Het is verboden elkaar zo hard te duwen in de gangen dat je de ander bezeert.
- Het is verboden te roken op school. (Gelukkig!)
- Het is verboden tijdens de lessen door de gangen te lopen, behalve als je eruit gestuurd bent. Dan moet het juist.
- Overtredingen komen in het klassenboek te staan. Na drie overtredingen krijg je een waarschuwing. Komt er nog een bij, dan krijg je een rode kaart.
- Het is verboden een mobiel bij je te hebben op school. De leraar mag je mobiel afpakken als hij je betrapt. Mag hij ook echt al je berichten lezen en ermee bellen, zoals mijn klassendocent zei?
- Alle vakken en alle docenten hebben afkortingen. Je moet die kennen.

tk = techniek
gs = geschiedenis
zu = Z-uur
wi = wiskunde
te = tekenen
en = engels
sl = studieles
ak = aardrijkskunde
lo = lichamelijke opvoeding, gym dus
fa = frans
bi = biologie
ne = nederlands
vz = verzorging
mu = muziek
Ham = F. Hammer (ak)
Mee = W.A. Meester (tk en klassendocent)
enzovoorts

- Het is verboden om in de pauze boven in de gangen te zijn en al helemaal om daar iets te eten. Ik denk dat je dan twee rode kaarten krijgt.
- Het is verboden te laat te komen. Sanctie: een briefje halen en dat de volgende morgen voor acht uur inleveren bij de conciërge.
- Het is verboden je briefje voor te laat komen na acht uur in te leveren. Straf: drie keer een briefje voor acht uur inleveren. Houd je je hier niet aan, dan word je geschorst.
- Het is verboden je niet aan de regels te houden. Straf: een rode kaart.

PS Ik ga actievoeren om regels te eisen voor docenten zodat wij ook rode kaarten kunnen uitdelen.

PS2. Milan en ik beginnen alleen op woensdag op dezelfde tijd.

Advertentie
Wie heeft een kluisje op een van de onderste vier rijen en wil met mij van kluisje op de bovenste rij ruilen?
Mail me: weblogvanmichiel@gmail.com

Woensdag 5 september
Een dag voor de verjaardag van mijn ❤ Eline

Als...

Als ik leraar was, dan zou ik mijn eerste les aan bruggers gebruiken om reclame te maken. Ik zou mijn vak en mezelf promoten. Ik zou kinderen het gevoel geven dat ze de loterij hadden gewonnen of dat ze bij de première van een geweldige cabaretvoorstelling zaten. Ik zou ze vertellen waarom ik zelf zo enthousiast ben over het vak dat ik geef. Ik zou beginnen met een gezellig gesprek om elkaar te leren kennen, zodat mijn leerlingen wisten dat ik een leuke leraar was. Ik zou weten dat een eerste indruk bepalend is en er alles aan doen om me tijdens zo'n eerste les als een held te presenteren. Ik zou een voorbeeld nemen aan bruggers en in het bijzonder Michiel. Hoe klein hij ook is, hij laat een onvergetelijke indruk achter.☺

Maar helaas ben ik geen leraar. Wij moesten het doen met Ham. Nee, ik noem niet haar hele naam. Tegenwoordig googelen leraren ook op internet en hebben ze zichzelf zo gevonden op de weblogs van hun leerlingen. Voor je het weet, hebben ze de pik op je en krijg je voor iedere misstap een rode kaart.

Ham kwam binnen als een legerofficier, een soort Bulstronk. Ze zei niks, pakte het krijtje van de richel van het schoolbord en schreef met krassend gepiep haar naam op het bord. IK BEN HAM, IK HOU VAN ORDE EN IK GEEF AARDRIJKSKUNDE. Daarna liep ze door het lokaal en gaf haar eerste commando: 'Schuif je stoel tegen de tafel, ga rechtop zitten met je rug tegen de leuning van je stoel en pak je boek voor je.' Zo zei ze dat echt. Wij raakten natuurlijk in de war. De helft van de klas dook toch maar in zijn rugzak onder de bank. De andere helft zat angstig en vertwijfeld naar Ham te kijken.

'Zijn jullie nou echt zo onnozel?' vroeg Ham. Ze lachte er een heel akelig, minachtend lachje bij. 'Pak je boek en ga daarna rechtop zitten.'

Niek begon er zachtjes van te huilen. In de klas ontstond geroezemoes. Toen stampte Ham met haar hak op de grond, alsof ze echte legerlaarzen aanhad. Door dat doffe geluid was iedereen meteen stil.

'Komt u uit Duitsland?' vroeg Eline. 'Uw naam betekent toch hamer?'

'Nee, ik kom niet uit Duitsland, maar vanaf nu hou je je mond. Ik stel hier de vragen en ik bepaal hier de regels.' Weer zo'n heksenlachje.

Ik zag aan de stoom die van haar af kwam dat Eline net zo'n hekel aan regels heeft als ik.

Inderdaad begon Ham daarna vragen te stellen, van die onnozele weetjes-vragen, waarop maar één antwoord mogelijk is en je je dus een sukkel voelt als je het niet weet of een slimmerik als je het wel weet. Maar o wee, als je je vinger opsteekt om te laten merken dat je het weet, dan loop je enorme risico's, zeker als je nog in de verkenfase van de brugklas zit. Je hoeft echt niet veel te doen om door je klasgenoten afgedaan te worden als nerd of uitslovertje en er voorgoed uit te liggen.

'Lees jij bladzijde 6 uit het tekstboek voor,' zei Ham. Ze wees Sharon aan. Die deed wat Ham zei, maar Sharon las zo zacht voor dat niemand er wat van verstond. Saai! Daarna moesten we de opgaven uit het werkboek maken. Saai! En toen was de les voorbij.
Waar is Ham eigenlijk goed voor? Om ons te laten voorlezen en ons voor gek te zetten? Heeft ze zelf niks te vertellen?
Ik weet nu al dat ik haar en aardrijkskunde haat.

Donderdag 6 september
De verjaardag van Eline, waarvoor ik niet ben uitgenodigd

Rammen

Gelukkig zitten wij de eerste twee maanden in een eigen lokaal. Dat doet de school om ons te helpen. Deze eerste tijd komen de leraren naar ons toe. Alleen voor sommige vakken, zoals biologie, techniek, tekenen en gym, moeten wij er ook aan geloven. Dan moeten we wel de jungle in en zien te overleven.
Nou is het al een hele klus om niet vertrapt, vermorzeld, aan de kant geduwd, onder de voet gelopen, platgedrukt of bijna gedood te worden als je een normale lengte hebt. Moet ik nog uitleggen hoe het voor mij is?
Ik dacht slim te zijn door gisteren naar gym een mooie omweg uit te zoeken door de lege gangen. Lekker snel! Ik heb standaard een kopie van de schoolplattegrond bij me. De route was snel uitgestippeld. Helaas bleek mijn lege-gangen-route een vluchtweg te zijn die via de binnenplaats liep. Eenmaal buiten kun je de school niet meer in zonder hulp van de conciërge. Mijn snelle weg leverde me een rode kaart op.
Vandaag moesten we naar biologie. Ik moest langs de kluisjes, want ik sjouw niet al mijn boeken de hele dag met me mee. Dat overleeft mijn rug dan weer niet. Soms ben ik ook bang dat ik uit onbalans met volle bepakking omval. Ik besloot te gaan rammen om levend en ongeschonden uit het gedrang te kunnen opduiken, voor de ingang van het biologielokaal dus. Dit werd me niet in dank afgenomen.

Het was op de brede stenen trap in de hal. Ik beukte tegen een derdejaars aan, tenminste zo zag hij eruit. Die jongen pikte dat niet en gaf me een duw terug. Wat ik vreesde ten aanzien van mijn wankele evenwicht, gebeurde en ik viel meteen om. Tegen een andere derdejaars. Doordat ik ongelukkig tegen zijn linkeronderbeen aan kwam, viel die jongen ook. Het gevolg was te vergelijken met vallende dominosteentjes. Op een stenen trap dus. Ik bedoel van een stenen trap af naar beneden.
Straf: een rode kaart en wel tachtig rode en blauwe plekken.

Ik moet een andere tactiek verzinnen.

Reactie, 7 september
Weet je wat helpt? Met zijn drieën strak gearmd lopen, als een hecht front. Dan moeten de ouderejaars wel opzij.
Milan

Reactie, 7 september
Moet je wel vrienden in je klas hebben zitten om die truc mee uit te halen.
[Michiel]

Vrijdag 7 september
Landelijke appelplukdag

Hoe herken je brugklassers?

Nilab (16 jaar): Die dragen hun rugzak idioot hoog.
Nours (14 jaar): Dat zijn die kinderachtige superirritante kabouters.
Bart (15 jaar): Ben je op school, rent er iets door de gang en schiet het tussen je benen door, dan heb je er beslist met eentje te maken.
Pascal (14 jaar): Simpel: een rugzak met pootjes.
Jan (16 jaar): Heb je wel eens een ouderejaars zien lachen? Nee, hè? Als je hier lang genoeg op school zit, vergaat je het lachen wel.
Cyriel (15 jaar): Geloof het of niet, maar dat zijn de enigen op school die met hun eten gooien.
Natascha (17): Wel eens iemand ontmoet die graag huiswerk maakt? Ja? Nou, dat was er een.
Ingeborg (16 jaar): Brugklassers zijn die kinderen die van school en les en leraren houden.
Carola (15 jaar): Dat zijn die kleuters over wie je struikelt.
Jordi (14 jaar): Brugklassers dragen regenkleding. Op school zijn het degenen die droge kleren aanhebben op een regenachtige dag.
Teun (15): Aan hun keurige fiets waarmee ze op de basisschool hun praktisch verkeersexamen hebben gehaald.
Bekir (14): Meisjes uit de brugklas zijn soms lastig te herkennen, maar mannelijke brugklassers pik je er zo uit. Die zijn gemiddeld amper groter dan anderhalve meter.

Perseverance (13): Zie je iemand met een broodtrommeltje rondlopen? Dan heb je er eentje te pakken.
Matthijs (15): Dat zijn die kinderen die tikkertje spelen op het schoolplein.
Daphne (14): Bruggers zie je als je je om acht uur moet melden. Die zijn vrijwillig zo vroeg op school.

[Bron: een groepssite van onze school]

Zaterdag 8 september
Wereld alfabetiseringsdag [wel een lastig woord voor analfabeten, hè?]

Nieuwsselectie
Fictie zijn verhalen die verzonnen zijn, leerde ik gisteren bij Nederlands. Nederlands is wat we in groep acht nog taal noemden. Ik doe niet aan fictie. Op mijn weblog lees je de waarheid en niets anders dan de waarheid. Dat fictie niet kan tippen aan de werkelijkheid, aan wat er echt gebeurt dus, bewijst mijn nieuwsselectie. Zo bizar kun je het zelf niet verzinnen. Lees maar. Het commentaar in cursief (ook geleerd met Nederlands) is van mij.

GEHOORPROBLEEM (1)
Een vijftienjarige scholier uit Danbury (VS) heeft zijn lerares aangeklaagd, omdat zij hem ernstige gehoorbeschadiging aan zijn linkeroor zou hebben toegebracht. Lerares Melissa Nadeau sloeg hard met de palm van haar hand op zijn tafel, omdat de jongen zat te slapen onder de les.

Is die jongen toch nog wakker geworden.

GEHOORPROBLEEM (2)
Ongeveer een op de vijf kinderen heeft gehoorproblemen die worden veroorzaakt door het luisteren naar te harde muziek op mp3-spelers. Dat is gebleken uit een test van de Nationale Hoorstichting.

Dus waarom luisteren kinderen zo slecht...?

SUPERTEVREDEN

Hoe tevreden ben je met je leven? Dat vroegen onderzoekers van de World Health Organisation aan meer dan 200.000 kinderen van elf tot vijftien jaar in 41 westerse landen. Wat blijkt? Nederlandse jongeren scoren het hoogst. Ze zijn supertevreden, leven gezond, hebben leuke ouders en veel vrienden. Minder gunstig vindt de WHO dat ze meer tv kijken dan jongeren in andere landen.

Misschien hebben we in Nederland gewoon betere tv en dus supertevreden kijkers?

MSN IS NIET SLECHT

Jij en ik wisten het allang, maar chatten en msn'en is niet slecht voor je taalvaardigheid. Wetenschappers aan de University of Toronto zijn er eindelijk ook achter. Chatten heeft geen negatief gevolg voor je werkstukken. Sterker, chatten is lastiger dan gewoon kletsen, omdat er meer regels bij komen kijken en daardoor is het misschien zelfs wel beter voor je taalvaardigheid en dus je werkstukken.

Breng je taalvaardigheid in de praktijk en laat een berichtje achter op mijn weblog.

GAMEN IS GOED

Gamers van MMORPG's zijn resultaatgericht en gewend te handelen in complexe situaties, blijkt uit onderzoek van IBM en MIT. Gamers leren al jong samenwerken, organiseren en risico's nemen. Het zijn de leiders van de toekomst.

Tip nodig? Smijt je ouders met dit onderzoek om de oren en vraag een nieuwe spelcomputer.

DOM (1)

Volwassenen zijn zó braaf. Die vergeten zelf na te denken. Vooral aanwijzingen van navigatiecomputers in de auto volgen ze klakkeloos op. Dom, dom, dom.
Zo reed een automobilist uit Klundert recht op een rotonde in aanleg af en belandde midden in pas gestort nat beton. Het beton moest vervangen worden. De auto waarschijnlijk ook.
Een 27-jarige Tilburger maakte het ook bont. Hij nam de kortste weg naar Venlo en kwam terecht in Grubbenvorst aan de Maas. Zijn navigatiesysteem wees hem keurig de weg. Helaas zag de man door de mist niet dat de veerpont aan de andere kant van de rivier was. Hij reed daarom vrolijk met vijftig kilometer per uur de Maas in.

Zoiets zal bruggertjes op de fiets nou nóóit overkomen.

DOM (2)

De 31-jarige A. S. is wel een erg domme zakkenroller. Hij viel in een bar in de Amerikaanse staat Pennsylvania voortdurend drie meisjes lastig en sprong er telkens tussen als zij foto's van elkaar maakten. De barkeeper gooide de man de zaak uit. Toen de meisjes uiteindelijk de bar verlieten, bedreigde hij hen en beroofde ze van hun geld en juwelen. De dader oppakken was vervolgens niet moeilijk. De meisjes hadden een hele serie foto's van hem. De dader bleek een goede bekende van de politie.

Zijn manier van beroemd worden?

DOM (3)
In Friesland verloor een treinmachinist een treinstel bij het vertrek van het station. Pas twee stations verder ontdekte de machinist dat zijn trein korter was geworden. Volgens Prorail zou de trein automatisch moeten gaan remmen in zo'n geval.

Hoe kon die trein remmen als hij stilstond toen de koppeling losschoot?

DOM (4)
Een 93-jarige man is in Tilburg van de weg gehaald en moest zijn rijbewijs inleveren. De man reed 2 kilometer per uur en dacht dat hij in Haaren was.

Tja?

SLIM (1)
Kinderen die een bril dragen, lijken in de ogen van leeftijdsgenoten slimmer dan kinderen zonder bril. Dat is onderzocht aan de Ohio State University.

Met een bril op kún je in elk geval letters ontcijferen. Misschien denken die leeftijdsgenoten dat brildragers daarom ook echt lezen?

SLIM (2)

Meer meisjes dan jongens slagen voor het vwo, hbo en de universiteit, blijkt uit onderzoek van het Centraal Bureau voor de Statistiek. Zijn meisjes dan slimmer? Nee, ze zijn ijveriger. En waarom zijn jongens niet ijverig? Omdat ze een jongen zijn en daardoor speelser, agressiever en langer puber.

Zo dom, die meisjes.

SCHIJTERD

Fiets je door Strijp bij Eindhoven en zie je op het fietspad een pakketje in krantenpapier liggen? Rijd er dan met een grote boog omheen als je schoon wilt blijven! In het pakje zit poep. En waarschijnlijk is het geen hondenpoep, maar mensenpoep. Al een halfjaar lang wordt er minstens één poepkrant per dag gevonden. De schijterd zelf is nog nooit betrapt. Dus of hij spelen met poep nou gewoon leuk vindt of dat het om een Strijpenaar zonder wc gaat, is niet bekend.

Volgens mij is het een actie om dat gratis krantje De Pers *te kakken te zetten.*

Zondag 9 september
Open Monumentendag

Anti-ex

Ik doe niet meer aan de liefde.
Of moet ik het omdraaien? De liefde doet niet meer aan mij. Nee, ik noem geen namen, maar een week geleden dacht ik nog dat ik verkering had.
Vlak voor de vakantie kwamen we elkaar tegen bij de orthodontist en kregen we allebei tegelijk een beugel. We zoenden. Ik dacht dat het liefde was. Zij heeft waarschijnlijk alleen willen zoenen om het verschil te ervaren tussen met en zonder beugel. Ik was toevallig voorhanden. Of was het nog gemener? Om mij te pesten?
Nu ziet ze me niet meer staan. Haar versie, dat ik verdwijn in de meute op school omdat ik zo klein ben dat ik onder iedereens benen door kan lopen en zij zo groot dat ze dat gekrioel daar beneden niet kan zien, is een smoes. Ze ziet me namelijk ook niet zitten in de klas. Vanaf dag één! En dat terwijl ik vooraan neergeplant ben, naast Liselot, die net als ik van tuinkabouterformaat is. Omdat Meester (nee, niet dé meester, maar wel onze klassendocent) ons anders niet kon zien... vond hij het nodig om ons helemaal vooraan naast elkaar te zetten.
Weet hij wel wat voor afgang het is om als jongen naast een meisje te zitten? En ik vermoed dat omgekeerd hetzelfde speelt. Heel de dag te kijk voor een stuk of vijftig starende storende ogen in je rug. Ja, dus ook de starende storende ogen

van Ex. Ze zal toch niet gedacht hebben dat ik het leuk vind? Verder uit elkaar zitten aan een tafeltje dan Liselot en ik doen, is onmogelijk.
Het is dus al de tweede keer dat het uit is tussen ons. Jaha, hou die grap van die ezel maar voor je.
Ik ben anti-Ex. Ik heb mijn lesje geleerd. Ik begin niet meer aan de meisjes, dan heb ik ook geen last meer van exen.

Reactie, 10 september
Ik waarschuw je maar één keer. Met mij valt niet te spotten.
je Ex

Maandag 10 september
De eerste dag van de tweede week in de brugklas

Naaktfoto's

Ik weet niet hoe ze weet dat ik haar haat, maar ik weet dat zij het weet. En dat zij weet dat ik weet dat zij het weet.
Ham noemt me tegenwoordig kleintje. En iedere keer dat ze 'kleintje' zegt, voel ik de bom in me aan explosiekracht toenemen. Als dat lontje aangestoken wordt, duik dan maar snel onder je tafeltje.
Het was onze tweede echte les aardrijkskunde. Ham wilde creatief doen. De insteek van de les was onze vakantie. We hadden vakantiefoto's uit het buitenland mee moeten nemen om iets te kunnen vertellen over de verschillen met Nederland.
Ik was die foto's straal vergeten. Stom natuurlijk. Maar ja, ik heb tegenwoordig zoveel aan mijn hoofd.
'En waar zijn jouw foto's?' vroeg Ham. Ze keek naar mijn lege tafeltje en stampte met haar hak op de grond. Ik wou dat ik in de gelegenheid was er secondelijm onder te smeren.
'Die wilt u niet zien,' antwoordde ik.
'Huiswerk wil ik altijd zien en controleren,' snauwde ze. Ze tikte bitchy met de nagel van haar wijsvinger op mijn tafeltje. Daarbij haalde ze het bloed onder die van mij vandaan.
'Mijn vakantiefoto's wilt u echt niet zien,' herhaalde ik. 'Dat is zelfs verboden.'
'Verbóden?'
'Wij waren deze vakantie op een naaktcamping,' antwoordde

ik zo langzaam en onverstoorbaar als ik maar kon. Ik verzweeg natuurlijk dat ik maar één dag met mijn moeder op een naaktcamping ben geweest en al die tijd mijn kleren heb aangehouden. 'Of kijkt u graag naar plaatjes van blote mannen?'
Dat laatste was mijn uitsmijter, maar daarmee ook de hare.
Ik moest me melden bij de conrector.
Het was mijn derde rode kaart. Ik moet de rest van de week nablijven om te prikken. (Alle rotzooi van ouderejaars opruimen dus).
Ze hebben hier de p(r)ik op me!

Reactie, 10 september
Sta jij ook op die foto's? Mail me er eens een paar, please...
je Ex

Reactie, 10 september
Sorry, Ex, ik dacht dat er alleen vrienden op mijn weblog kwamen. Ik verwijder je bij deze van mijn vriendenlijst.
[Michiel]

Dinsdag 11 september
Herdenking aanslag op het World Trade Center in New York en het Pentagon (2001)

Anti-klassenvertegenwoordiger

'Jullie zitten nu al meer dan een week in de brugklas,' begon Meester vandaag tijdens de studieles. 'Jullie hebben elkaar vast al leren kennen.'
Natuurlijk zonder dat Meester het zag, stak Ex treiterig haar twee duimen omhoog naar me.
'Volgens mij zijn jullie er al aan toe om een klassenvertegenwoordiger te kiezen,' ging Meester door. Hij ging met zijn blik peilend de klas rond. Ik had zin mijn vingers in mijn keel te steken toen ik zag hoe Ex haar liefste smile – met gesloten lippen, zodat je haar beugel niet ziet – naar Meester trok, terwijl ze zich licht vooroverboog naar hem en een plukje haar uit haar gezicht wegveegde.
Even leek hij van zijn stuk gebracht. Verlegen, alsof het in de prehistorie was dat iemand hem voor het laatst zo gepaaid had. Snel keek hij de andere kant op. Weer nam Ex haar kans waar. Geluidloos vormde haar mond na-na-na-na-na-klanken. Ze keek me uitdagend aan. Er werd naar Ex gelachen. Meester lachte ook naar Ex, onwetend van de reden van de lol. Die reden was ik dus.
'Jullie zijn een leuke klas,' zei Meester tevreden. 'Maar de vraag is: zijn er al kandidaten voor de functie van klassenvertegenwoordiger?'
Niemand stak zijn vinger op. Niemand waagde het Meester

aan te kijken uit angst uitgekozen te worden. Niemand, behalve Ex. Dat Meester het niet doorhad hoe ze zat te flirten. Zó slim van haar. Kwijlen omdat ze zo'n machtspositie wel wil, maar dat vooral niet laten blijken aan de rest, want dan lig je er dus echt uit.

'Nou, als niemand zich vrijwillig meldt, dan zal ik iemand moeten aanwijzen,' ging Meester verder. 'Eline? Zou jij ons uit de brand willen helpen?'

Ex speelde perfect dat ze niet happig op het baantje was, waarop Meester rap alle voordelen begon op te sommen. 'Je bent vrij van corvee. Je bent het aanspreekpunt voor je klasgenoten én voor docenten. Je zit automatisch in de leerlingenraad, die vier keer per jaar vergadert. En natuurlijk ben jij verantwoordelijk voor het klassenboek.'

'Vooruit dan,' zei Ex, 'omdat u het bent.'

Woensdag 12 september
Woensdag gehaktdag

Test jezelf: Hoe maak jij nieuwe vrienden?
Op veler verzoek eindelijk weer eens een test!
In de brugklas moet je nieuwe vrienden maken. Hoe doe jij dat? Ben je een slijmbal, een opschepper, een muurbloempje of...? Kies het antwoord dat het best bij je past. Binnenkort volgt de uitslag. Dus blijf mijn blogs lezen!

1. *Een jongen wordt de klas uit gestuurd omdat er op het bord vuiligheid over de docent geschreven stond. Hij heeft het niet gedaan. Het populairste meisje van de klas, Eline, wel. Wat doe je?*
   a. Na de les zal ik naar die jongen toe gaan om hem te troosten en te zeggen wat een bitch Eline is.
   b. Ik weet echt niet wat ik moet doen. Ik zou het liefst in mijn rugzak kruipen.
   c. Ha, heb ik weer iets leuks om hem mee te plagen!
   d. Ik fluister tegen mijn buurman dat dit wel een heel gemene streek van Eline is.
   e. Ik steek mijn vinger op en zeg dat iemand anders het gedaan heeft, maar dat ik diegene niet ga verraden. Dat mag hij zelf doen.
   f. Ik doe niks. Dat is lekker veilig. Ik wil echt Eline niet tegen me hebben.
   g. Ik zeg gewoon dat Eline het gedaan heeft. Wat denkt ze wel niet?
   h. Ik zeg dat ik het op het bord geschreven heb.

2. *Je mag voor het eerst zelf met je vriend of vriendin nieuwe kleren kopen in de stad. Wat koop je?*
   a. Ik weet precies wat er in de mode is. Ik koop dat waar de meeste kinderen in lopen.
   b. Ik trek me niks aan van de mode. Ik draag juist het liefst heel opvallende kleren, waar niemand in durft te lopen.
   c. Het maakt me niet uit wat het is, als ik maar merkkleding heb. Dat maakt tenminste indruk.
   d. Ik zoek iets uit wat ik zelf leuk vind, maar wat niet al te opvallend is.
   e. Ik durf helemaal niet alleen iets te kopen in de stad. Ook niet met een vriend of vriendin samen.
   f. Het belangrijkste is dat mijn vriend(in) mijn nieuwe kleren me leuk vindt staan.
   g. Ik koop precies hetzelfde als dat sukkeltje uit mijn klas en dan zeg ik: 'Kijk, míj staat dit shirt wel leuk!'
   h. Ik koop in elk geval geen rode broek, want die heeft dat sukkeltje ook en daar heb ik nogal wat grapjes over gemaakt tegenover een van de populairen.

3. *Er is een nieuwe in de klas. Ze heeft een bril met heel dikke glazen. Ze ziet er nogal sloom uit. Wat doe jij?*
   a. Ik fluister meteen tegen degene naast me dat die er écht niet uitziet met haar jampotten op.
   b. Zodra het pauze is, ga ik haar voor gek zetten op het schoolplein. Zo'n type vráágt er gewoon om. Waarom draagt ze geen lenzen of zo?

c. Ik ga extra aardig tegen haar doen. Ik zeg bijvoorbeeld dat ze zo'n gave bril heeft.
d. Dat kind krijgt het moeilijk. Dat is duidelijk. Ik hou de boel in de gaten. Als het nodig is, zal ik het voor haar opnemen.
e. Wat? O, het was me helemaal niet opgevallen dat er een nieuwe in de klas was...
f. Ik vertel onmiddellijk een mop over iemand met dikke brillenglazen.
g. Ik zou haar wel willen aanspreken, maar ik durf niet. Misschien denkt ze dat ik het juist doe omdat ze er zo raar uitziet.
h. Dat kind krijgt het moeilijk. Ik vind dat wel zielig, maar ik ga haar mooi niet helpen. Dat zoekt ze zelf maar uit.

4. *Je bent uitgenodigd op een feest van een jongen uit je klas. Behalve hem ken je niemand. Hoe gedraag je je?*
   a. Ik heb altijd een paar heftige moppen achter de hand om de aandacht mee te trekken. Ze zullen weten dat ik er ben!
   b. Ik weet me geen raad en durf met niemand te kletsen. Na een uur knijp ik er met een smoesje tussenuit.
   c. Ik maak degenen in mijn buurt complimentjes. Ik stel belangstellende vragen, ga wat voor ze te drinken halen en sloof me uit om een aardige indruk te maken.

d. Ik begin een praatje met iemand bij me in de buurt. Ik zeg eerlijk dat ik niemand ken.
e. Ik kijk waar het meest gelachen wordt en wie de populairen zijn. Daar ga ik bij in de buurt staan.
f. Ik ga lekker swingen en doe gewoon waar ik zin in heb.
g. Er is vast wel iemand om voor gek te zetten. Aanval is de beste verdediging. En dan weten ze tenminste meteen dat ik er ben.
h. Ik fluister degene naast me in het oor: 'Zie je dat gastje daar? Die kleren kunnen écht niet!'

Donderdag 13 september
'Op Voeten en Fietsen naar School'-dag

Anti-hulp 1

Tot nu toe was mijn vader een typisch voorbeeld van een tweede-legvader, zo'n twijfelaar met schuldgevoelens naar zijn kind uit zijn eerste huwelijk (ik) en een crèche vol kinderen van hem en van haar en van hen samen bij zijn nieuwe relatie (Myrthe), bij wie hij zich uitslooft om het nu wel goed te doen. Die crèche bestaat uit Roel van drie en Loesje van één en om de vijf dagen nog eens Jesse, Claartje en Jonne. Sinds kort is mijn vader bij een reorganisatie op zijn bedrijf ontslagen en heeft hij zich ontpopt als een coachvader. Nou heb je coachvaders in soorten en maten. Je hebt er die vooral je supporter zijn. (Ja, Michiel, je bent fan-tas-tisch!) Anderen willen alleen dat je later carrière maakt, liefst dezelfde als zij. (Als je het nu doet zoals ik het altijd gedaan heb...) En dan heb je nog de pedagogen (Ik zal het nog één keer uitleggen) en de treiteraars (Jij kunt er echt helemaal niets van). En ten slotte heb je de controleurs. Daar hoort mijn vader bij.
Hij is zo'n type dat alles beter weet en jou wel eens even zal leren hoe je dat op school aanpakt. Ik weet niet wat ik liever heb, het gebrek aan aandacht van vroeger of het teveel waar ik nu door verstikt raak.
Ik moet élke dinsdag en élke donderdag om zeven uur 's avonds met hem mijn huiswerk doornemen. Hij wil precies op de hoogte zijn van mijn lesrooster en wanneer ik SO's en compo's heb. Jaha, ik moet al mijn punten vertellen.

Vandaag heb ik een 4 voor Frans gehaald. Daar baal ik op zich al van. In een zeurpreek daar bovenop had ik dus echt geen zin.

Ik vertelde mijn vader daarom deze vreselijke feiten:
'Vandaag hebben we op school maatschappijleer gehad. Weet je dat er ruim 6 miljard mensen op de wereld wonen en dat er van die 6 miljard 2,6 miljard thuis geen eigen wc hebben en dat er elk jaar 1,5 miljoen kinderen doodgaan door vies water en slechte hygiëne? Wist je dat 600 miljoen kinderen in absolute armoede leven en dat er elk jaar meer dan 10 miljoen kinderen door honger en te voorkomen ziekten sterven? Dat is meer dan één kind per drie seconden. En wat dacht je van deze? De drie rijkste mensen in de wereld hebben meer rijkdom dan alle 600 miljoen mensen bij elkaar die in de armste landen van de wereld leven. Weet je dat er wereldwijd 115 miljoen kinderen niet naar school gaan, terwijl een op de vier volwassenen in ontwikkelingslanden analfabeet is? En dan te bedenken dat het 10 miljard dollar zou kosten om iedereen ter wereld de basisschool te laten volgen en dat is dus de helft van wat Amerikanen uitgeven aan ijs. En weet je dat er bijna 40 miljoen mensen hiv en aids hebben? Daarvan zijn 2,2 miljoen kinderen onder de 15 jaar oud. Nog steeds raken elke dag 13.700 nieuwe mensen met het virus besmet. Moet je je voorstellen dat in Afrika op dit moment ruim elf miljoen kinderen minstens een van hun ouders verloren hebben aan aids. En dat de paus tegen condooms is en zelfs durft te beweren dat condooms aids verergeren. Kun je de paus niet aanklagen?'

Ik liet een indrukwekkende stilte vallen voor ik verderging. 'O ja, ik had trouwens een 4 voor Frans. Maar ja, wat betekent dat nou als je het plaatst naast al die ellende in de wereld?'

Het hielp niet.

Reactie, 14 september
Hahahaha.
Milan

Vrijdag 14 september
Ook vrijdag de veertiende kan een rampdag zijn, over vier dagen vaderdag

Anti-rampen

Mijn moeder is rampcoördinator van de gemeente. Ja, dat beroep bestaat echt. Zij moet bij rampen de touwtjes in handen nemen. Zorgen dat de feiten boven tafel komen, noodplannen bedenken, zorgen dat slachtoffers gered worden en er niet nog meer rampen gebeuren. Snap jij het? Snap ik het? Volgens mij schept ze haar eigen werk. Als er één een ramp is... Maar dat terzijde.
Onlangs is ze gestart met voorlichting geven aan buurtbewoners over jezelf goed voorbereiden op calamiteiten. Dat zou een overstroming kunnen zijn, maar ook een ontploffing in een chemische fabriek, of een raketaanval, of een aardbeving, of een inslag van een komeet, een nieuwe kredietcrisis of... Aangezien mijn moeder zich de laatste tijd meer en meer ontpopt als een workaholic, is die voorbereiding op een ramp thuis bij voorbaat uitgelopen op een ramp voor mij.
Het hele huis hangt vol met alarmnummers en richtlijnen. Wat te doen bij een brand? Wat te doen bij een chemische ramp?
Onlangs heeft mijn moeder het kleine kamertje ingericht als crisiscentrum. Dat was nou net het kamertje dat ik van plan was in te pikken als ik mijn drumstel bij elkaar verdiend heb. Kon ik het mooi isoleren tegen geluidsoverlast.
Wat ze daar allemaal niet binnen gesleept heeft! Een radio op

batterijen. Een zaklamp. Een enorme voorraad batterijen. (Zou ze merken dat die langzaam slinkt?) Een EHBO-doos. Een belachelijke noodvoorraad levensmiddelen, die voornamelijk bestaat uit gedroogde bonen, blikken vis, soep, ravioli, groente en cocktailfruit, zout, vitaminetabletten, koffie, droge crackers en wel tien kratten met literflessen bronwater. (Waarom geen cola vraag je je dan af?) Een krat vol zeep, shampoo, bodylotion, tandpasta, wc-papier, maandverband, zakdoekjes. Zandzakken voor als er een overstroming komt. Een wekker die je zelf moet opwinden. Twee gasmaskers. (Ze gaat er blijkbaar van uit dat we met zijn tweeën blijven.) Drie brandblusapparaten. Vuurpijlen. Twee overalls van isolerend materiaal. Een reddingsvlot. Twee zwemvesten. Een doos waterzuiveringfilters. Een doos maaltijdrepen van 2400 kilocalorieën per stuk! (Zou je normaal niet mee moeten komen aanzetten.) Een butagaskachel en butagaskookstel met tien extra flessen butagas. Lucifers, aanstekers en magnesium vuurmakers. Schrijfblokken en pennen. Veertien dozen kaarsen. Een rijtje survivalhandboeken. Tien rollen vuilniszakken. Vier zwarte emmers.

'Ben je niet een beetje paranoia?' vroeg ik haar.
'Nee, hoor!' Mijn moeder ontkende in alle toonaarden. 'Weet je wie paranoia zijn?' zei ze. 'Dat zijn die types die denken dat de wereld over drie jaar vergaat. Dan stopt de Mayakalender, zeggen ze, en dan komt er een wereldcatastrofe. Kijk maar eens op internet en zoek op howtosurvive-sites en community's.' (Heb ik gedaan en dat klopt.)
Nee, zij was niet bijgelovig.

'Beetje fobisch dan misschien?' probeerde ik nog. Het mocht niet baten.
Zou het helpen als ik in plaats van op mijn toekomstige drumstel vast begin te oefenen op butagasflessen, omgekeerde emmers en blikken? Dan gebruik ik vuurpijlen om mee te slaan. Wat een knalfeest zal dat worden.

Zaterdag 15 september
Over drie dagen vaderdag

ABC van de brugklas
Woon jij in een andere regio en is jouw school nog niet begonnen? Doe je voordeel met mijn ervaringen als pas gebakken brugpieper.

A van Agenda
Met een coole agenda kun je scoren. Er is, nou ja, was aan het begin van de vakantie, een krankzinnige keuze aan agenda's. Toch loop je altijd de kans dat je net dezelfde agenda hebt als een gastje met wie je juist niet vergeleken wilt worden. Of nog erger, als de Queen Bee van de klas. Weet je niet wat een Queen Bee is? Kijk dan bij de Q.

B van Blijven zitten
Mijn advies: níét doen. Zorg dat je goede cijfers scoort, anders moet je nog een keer door al deze brugklasellende. Of je wordt een niveau lager geplaatst. Niets is zo vervelend als onder je niveau werken. Alleen als je daardoor weer een jaar in dezelfde klas komt als je grootste vijand, is zitten blijven te overwegen.

C van Conciërge
Je zou hem ook manusje-van-alles kunnen noemen. Hij zorgt voor een pleister, een aspirientje en een kusje op de zere plek (bij de meisjes dan). Hij laat je alle troep opruimen in de tuin of de kantine, omdat je drie rode kaarten hebt. Bij hem moet

je een briefje halen als je te laat bent. Hij heeft een pomp te leen als je fiets een slappe band heeft. Hij kan je vriend of vijand zijn. Een conciërge kan trouwens ook een vrouw zijn (die geeft liever geen kusjes op de zere plek bij jongens).

D van Downloaden

Je kunt alle boekverslagen en werkstukken die je maar wilt, downloaden. Doe het wel slim, want het mag niet en je docenten hebben ook internet en kennen de verslagen die er in omloop zijn veel te goed. Doe het zo:
Lees de tekst eerst nauwkeurig door. Denk na over wat je mist en wat je nog zou willen toevoegen. Neem de tekst zin voor zin door en verander nu alle moeilijke woorden en zinnen die je niet begrijpt. Streep daarna alle stukken saaie tekst weg en verander die eventueel door je eigen levendige tekst. Ga daar net zo lang mee door totdat je denkt: 'Zo zou ik het zelf zeggen.' Vul de gedownloade tekst aan met eigen stukken tekst. Maak in elk geval een ander begin. Dat valt namelijk het eerste op! Lees alles nog eens goed na. Lever alleen een tekst in die je van a tot z zelf goed snapt.

E van Eerste indruk

Ze kunnen kletsen wat ze willen, maar mensen vormen gevoelsmatig binnen een paar minuten een oordeel over iemand die ze voor het eerst zien. Dat noemen ze dus 'op het eerste gezicht'. De stem en lichaamstaal van de onbekende verraden van alles. Ook of diegene zenuwachtig is, verlegen of zelfverzekerd. Of hij merken draagt en met de mode meegaat of zijn eigen stijl heeft. En lijkt hij eerlijk, aardig, sloom, vrolijk, een baas of een meeloper? Of die eerste indruk terecht is, dat is weer een heel ander verhaal. Maar het loont wel de moeite na te denken over hoe je je wilt presenteren op de eerste dag in de brugklas. Dat geldt voor docenten – die denken daar te weinig over na – en voor brugklassers – die denken er te veel over na en krijgen er de zenuwen van. Meer weten over zenuwen? Kijk bij de Z.

F van Faalangst

Ik weet niet of het aan onze school ligt of dat het besmettelijk is, maar er heerst hier veel faalangst. Meisjes en jongens die ineens beginnen te huilen, kinderen die vlak voor een SO ineens misselijk naar huis gaan of die tijdens de SO een blackout krijgen en vervolgens een leeg vel inleveren. Weet je niet wat een SO is? Kijk dan bij de S.

G van Gymkleren

Eigenlijk spreek ik hier liever niet over. We dragen verplichte blauwe sportbroeken en witte shirts. Zelfs de kleinste maat is mij te groot. Vandaag bij touwklimmen verloor ik mijn sportbroek. Ik schaam me zo dat ik het liefst helemaal in mijn veel te grote broek zou verdwijnen.

H van Handtekening

Zorg dat je er een hebt! Maak hem niet te ingewikkeld en niet te kinderachtig. Voor je het weet zit je eraan vast. Oefen er goed op, zodat hij telkens hetzelfde is. Waarom je een handtekening nodig hebt in de brugklas? Je moet overal van alles ondertekenen: het pestprotocol, het antiracismeprotocol, het spijbelprotocol en het strafprotocol. Verder moet je tekenen voor de sleutel van je kluisje en dat je echt bent wie je zegt dat je bent.

I van Identificatieplicht

Geldt alleen als je bent blijven zitten in de brugklas. Iedereen vanaf 14 jaar moet een identiteitsbewijs of paspoort bij zich dragen. De politie mag je erom vragen. Heb je die niet bij je dan kan het je 25 euro kosten. Geen overtredingen begaan helpt trouwens te voorkomen dat er om je ID gevraagd wordt.

J van Jaloers

Het lijkt of iedereen in de brugklas jaloers is. Op de stoerste jongen. Op de slimste van de klas. Op die gasten uit de vierde en hoger met een brommer of een scooter. Op dat mooie slanke meisje. Op dat mooie ronde meisje. Op die jongen die altijd dure merkkleding aanheeft. Op die skater. Op... is er dan niemand gewoon tevreden? Nee, alle bruggers zijn zó onzeker en daarom zijn ze jaloers. Of ik ook jaloers ben?
Ja, ik kan het net zo goed zeggen, want de hele klas weet het toch al.
Eline gaat nu met de stoerste jongen van de klas, Jelle. ☹

K van Kantine en Kluisje

In Leeuwarden heeft een gemeenteraadslid voorgesteld om tijdens het uitgaan 's nachts gratis chocoladerepen uit te delen. Jongeren worden daar blij van en minder agressief, is de redenering. In onze kantine verkopen ze juist geen chocolade. Alleen fruit, melk en vruchtensap en gezond belegde bruine boterhammen. En dan vinden ze het gek dat er dagelijks oorlog is bij de kluisjes. Gratis chocolade, dat is wat er ontbreekt op school.

L van Leerwerk
Leerwerk betekent niets anders dan lesstof bestuderen. Het helpt erg als je samenvattingen maakt van de stof, met daarin de belangrijkste punten. Als je die samenvattingen bewaart, scheelt dat enorm bij een proefwerk. Helemaal als je ze zo klein maakt dat je ze als spiekbriefje kunt gebruiken. Plak spiekbriefjes aan de binnenkant van je shirt of rok.

M van Maakwerk
Maakwerk is huiswerk waar je een pen of computer voor nodig hebt. Je moet opgaven of een werkstuk maken. Soms moet je de opdrachten afmaken waar je op school al aan begonnen bent.

N van Nieuw
Alles is nieuw in de brugklas en alles is anders dan je je van tevoren had voorgesteld. Het is wreder, saaier, cooler, moeilijker, makkelijker, grappiger, ouderwetser, het is alles, maar dan een graadje erger.

O van Overleven
Overleven is het juiste woord voor het leven in de brugklas en op de middelbare school. Waarom denk je dat er zo veel boeken en sites zijn met tips en goede raad? Als je van sur-

vival houdt, dan kun je het misschien nog als de ultieme *challenge* zien. Ik heb dat niet. Ik duik liever helemaal onder.

P van Pesten

Pesten is niet leuk. Gepest worden nog minder. Ik kan erover meepraten. Wist je dat een op de zes kinderen gepest wordt? En dat kinderen die gepest worden, vaak lagere cijfers op school halen? Het goede nieuws is dat bijna de helft van de kinderen probeert te helpen als een klasgenoot gepest wordt. Het slechte nieuws is dat de andere helft wel wil helpen, maar het niet durft. En wist je dit al? Veel kinderen vertellen thuis niet dat ze gepest worden. Een op de twintig kinderen pest wel eens. En op school wordt twee keer zo vaak gepest als daarbuiten!

Q van Queen Bee

Het populairste, charmantste en aantrekkelijkste meisje van de klas. Iedereen slooft zich voor haar uit. Zelfs leraren palmt ze in. Een aantal meisjes vormt haar hofhouding. Zij zijn de baas. Hun wapens: roddelen en uitsluiten. Wie bij ons de Queen Bee van de meidenkliek is? Haar naam begint met een E...

R van Regenkleding

Die draagt dus niemand, want dan lig je er meteen uit. Gevolg is wel dat iedereen als het regent in de klas zit uit te dampen. De ramen blijven meestal dicht als het buiten regent. Samen met zweetluchtjes, vieze deo's en de parfum of aftershave van de leraar is de stank op zulke dagen niet te harden.

Gelukkig word je van door de regen fietsen al snel verkouden, want knijpers op je neus zitten niet echt prettig.

S van Schriftelijke Overhoring (SO)

Je hebt twee soorten proefwerken: een schriftelijke overhoring en een compo. Een SO telt niet zo zwaar mee als een compo. Compo's worden alleen tijdens de proefwerkweek gegeven en gaan over de stof uit het boek. Bij een schriftelijke overhoring kan een leraar ook dingen vragen die in de les behandeld zijn.

T van Tuin

Onze uitlaatplek tijdens de grote pauze. Het is dat het buiten is, anders zou je er niet kunnen ademhalen, zó vol met kinderen is het er. Je kunt je er stapje voor stapje voortbewegen. Net wanneer je een plekje gevonden hebt, gaat de bel en moet je weer terug.

U van Uit je hoofd leren

Vaak heel lastig. Neem Franse woordjes. Ze zeggen 'oo', ze schrijven 'eau' en bedoelen 'water'. Ze zeggen 'wie', ze schrijven 'oui' en bedoelen 'ja'. Ze zeggen 'pen', ze schrijven 'pain' en bedoelen 'brood'. Niet te doen. Ik zweer het je.

V van Vrienden

Onmisbaar. Meer valt er niet over vrienden te zeggen. Het is dus crimineel als een school vrienden in de brugklas van elkaar scheidt. Nieuwe vrienden maken is nog niet zo simpel. Het kost in elk geval tijd. Interesse tonen, complimentjes maken, jezelf blijven, iets leuks voorstellen en eens iets voor een leuk type doen, zouden moeten helpen.

W van Websites

Ken je deze sites al? Leuk om een kijkje te nemen als je even afleiding van je huiswerk nodig hebt.

www.zinlozehyves.hyves.nl
www.ezelsbruggetje.nl
www.naardebrugklas.kennisnet.nl
www.leerlingen.com
www.scholieren.com
www.collegenet.nl
www.jip.org
www.jeugdraad.nl
www.teach2000.nl
www.overhoorjezelf.nl
www.zwaarweer.nl

X van XXX

Vooral meisjes bedienen zich te pas en te onpas van xxx-jes om lief en aardig gevonden te worden. Jongens stompen en duwen liever.

Y van Yes

Dat roept iedereen als de zoemer gaat.

Z van Zenuwen

Eerst dacht ik dat ik de enige was die er last van had, maar nee, alle brugklassers hebben last van zenuwen, ook wel stress

genoemd. Vooral de allereerste compoweek is slopend. Voor sommigen is juist de tweede compoweek dodelijk. Dat betreft diegenen die voor de eerste compoweek waanzinnig goed hebben geleerd, maar toch voor zowat alles onvoldoendes hebben gehaald. Echt een absolute oppepper voor je zelfvertrouwen is dat. Als dan de paniek niet toeslaat...
Gelukkig heb ik als ervaringsdeskundige weer wat geweldige tips voor je.

1. Zorg dat je hoogbegaafd bent. Zo niet, bereid je dan goed voor. Maak samenvattingen, laat je overhoren en leer niet alles in één keer. Door herhaling onthoud je het pas echt goed.
2. Zorg ook goed voor jezelf. Pak je tas de avond ervoor in en maak het niet te laat. Vergeet vooral niet te ontbijten.
3. Blijf rustig ademhalen als het proefwerk begint. Lees eerst alle vragen vluchtig. Dat stelt je gerust en je kunt je tijd goed inschatten.
4. Stuit je op een vraag die je moeilijk vindt? Ga dan eerst door met de opdrachten die je wel kent.
5. Lees je werk na afloop nog een keer rustig door.

Zondag 16 september
Over twee dagen vaderdag

Anti-kamer-opruimen

Opruimen, opruimen, opruimen, opruimen, opruimen, op-
ruimen, opruimen, opruimen, opruimen, opruimen, oprui-
men, opruimen, opruimen, opruimen, opruimen, opruimen,
opruimen, opruimen, opruimen, opruimen, opruimen, oprui-
men, opruimen, opruimen, opruimen, opruimen, opruimen,
opruimen, opruimen, opruimen, opruimen, opruimen, oprui-
men, opruimen, opruimen, opruimen, opruimen, opruimen,
opruimen, opruimen, opruimen, opruimen, opruimen, oprui-
men, opruimen, opruimen, opruimen, opruimen, opruimen,
opruimen, opruimen, opruimen, opruimen, opruimen, oprui-
men, opruimen, opruimen, opruimen, opruimen, opruimen,
opruimen, opruimen, opruimen, opruimen, opruimen, oprui-
men, opruimen, opruimen, opruimen, opruimen, opruimen,
opruimen, opruimen, opruimen, opruimen, opruimen, oprui-
men, opruimen, opruimen, opruimen, opruimen, opruimen,
opruimen, opruimen, opruimen, opruimen, opruimen, oprui-
men, opruimen, opruimen, opruimen, opruimen, opruimen,
opruimen, opruimen, opruimen, opruimen, opruimen, oprui-
men, opruimen, opruimen, opruimen, opruimen, opruimen,
opruimen, opruimen, opruimen, opruimen, opruimen, oprui-
men, opruimen, opruimen, opruimen, opruimen, opruimen,
opruimen, opruimen, opruimen, opruimen, opruimen, oprui-
men, opruimen, opruimen, opruimen, opruimen, opruimen,
opruimen, opruimen, opruimen, opruimen, opruimen, oprui-

men, opruimen?

Nee!

Maandag 17 september
Morgen vaderdag

Groeilust

Misschien ben ik in de groei? Zeg ja! Of zou het komen door al mijn prikdiensten? In elk geval heb ik de laatste tijd na school honger als een Tyrannosaurus Rex die 65 miljoen jaar na uitsterven ineens wakker wordt. Tijd voor snelle en lekkere maar voedzame en gezonde naschoolse happen. Ik zweer je dat ik alleen beproefde recepten op deze blog zal plaatsen. Heb jij ervaring met een lekker recept? Laat dat dan even achter op mijn website.

Tosti
Het enige wat je echt nodig hebt voor deze boterham der boterhammen is een goed tostiapparaat. Een zware tafelgrill is het best. Mijn favoriete sausjes zijn zoetzure Thaise chilisaus en mangochutney.

Mijn favorieten:
1. Besmeer zelf gesneden maïsbrood met sambal. Beleg met jonge kaas en plakjes banaan. Als extraatje is wat taugé een aanrader.
2. Vul opengesneden Turks pidebrood met rul gebakken, pittig gekruid gehakt en jonge kaas.
3. Beleg mueslibrood met jonge geitenkaas en een beetje honing.
4. Bak plakjes champignon met wat uitgeperste knoflook tot

al het vocht verdampt is. Beleg een overlangs doorgesneden (afbak)stokbrood met de champignons en jonge kaas. (Is voldoende voor twee hongerige bruggers.)
5. Beleg bruinbrood met gegrilde paprika, aubergine of courgette in plakken en jonge harde geitenkaas.
6. Lekker op elke soort brood: brie of camembert.

Wraps

Je moet natuurlijk weten hoe je een wrap moet oprollen. Verder zijn alle mogelijke kliekjes uit de koelkast bruikbaar om hem te vullen. Wees creatief en leef je uit!

Vullen en oprollen gaat zo:

Verwarm wraps in de magnetron of in een koekenpan tot ze warm en soepel zijn. Besmeer de hele wrap met saus, bijvoorbeeld zure room, salsa, guacamole, aïoli, roomkaas. Leg de vulling er dan in een brede baan op, maar laat aan de onder- en bovenkant een randje vrij. Sla die flapjes over de vulling en rol de wrap dan vanaf de zijkant strak op. Snijd hem schuin doormidden.

Lekkere combi's:

- roomkaas, flinterdunne komkommer, gerookte zalm
- zure room, guacamole (of geprakte avocado), gegrilde paprika, maïs
- sla, rul gebakken gehakt met chilipoeder, maïs, uiringen, knoflooksaus
- mayo, gekookte sperziebonen, tonijn, kappertjes, olijven, ringetjes bosui

- zure room, plakjes gerookte kipfilet, schijfjes avocado, maïs
- knoflooksaus, sambal, shoarma (kan ook zonder), rauwkost, zoals geraspte kool
- zure room, jonge kaas, dunne schijfjes tomaat
- pittige salsa, roerei, jonge kaas
- blaadje sla, rauwe ham, dunne schijfjes avocado, hüttenkäse
- geen combi, maar gewoon een kliekje warme hachee, goulash, babi ketjap, 'zoer vleisj', boeuf bourguignon of wat voor stoofpot dan ook

Soep

Cup-a-soup? Ja, maar dan wel – snel – zelfgemaakt. Is veel lekkerder.

Cup-a-gazpacho

Doe een fles tomatensap, een halve komkommer in blokjes, een groene paprika in stukken, een halve ui in stukjes, een teentje knoflook, een witte boterham zonder korstjes, twee eetlepels rodewijnazijn, twee eetlepels olijfolie, een theelepel gemalen komijnzaad, zout en peper samen in de keukenmachine. Laat een minuutje draaien. Eet de soep met ijsklontjes en bewaar de rest in de koelkast.

Cup-a-rodesoep

Breng een fles bietensap aan de kook met een bouillonblokje. Voeg dan wat ringetjes bosui toe en als je hebt wat kleine blokjes gekookte biet. Doe een lepeltje crème fraîche in je kom bietensoep.

Cup-a-oranjesoep

Breng een fles wortelsap aan de kook met een bouillonblokje en als je hebt enkele geprakte gekookte aardappelen. Voeg een halve theelepel gemalen korianderzaad en een halve theelepel komijnzaad toe. Doe een lepeltje crème fraîche in je kom wortelsoep. Wat vers gehakte koriander maakt de soep superlekker.

Cup-a-groenesoep

Geloof het of niet, maar van kliekjes rauwe of gekookte groente kun je de heerlijkste soep maken. Als je alleen groene groenten kiest, krijgt je soep een prachtige kleur. Geschikt zijn prei, aardappel, doperwtjes (vriezer), paprika, spinazie (vriezer), groene kruiden, courgette, sla, komkommer. Fruit een gesnipperde ui en een teentje knoflook in wat boter of olie. Voeg er de rauwe groenten in blokjes aan toe en precies zo veel water dat de groenten onder staan. Laat tien minuten koken. Voeg daarna de gekookte of gegrilde groente toe. Breng op smaak met één ringetje jalapeñopeper en een bouillonblokje. Pureer de soep met de staafmixer. Doe een scheutje koffiemelk in je kom groene soep.

Dinsdag 18 september
Prinsjesdag en...
vaderdag

Anti-hulp 2

'Papa, ik moet je wat vertellen. Je moet beloven dat je niet meteen naar school gaat bellen. Je weet natuurlijk wel dat er bijna 400.000 kinderen dagelijks gepest worden. Op de middelbare school zijn er dat twee in elke klas en meer dan de helft van de leerlingen helpt wel eens een pester. Dus iedereen loopt kans slachtoffer te worden. Helaas hoor ik daarbij.'

Ik liet een korte stilte vallen.

'Je weet dat er niemand van mijn oude school bij me in de klas zit. Milan en ik hebben nog geprotesteerd, maar het hielp niet. Alleen Eline zit ook in 1b. Nou ja, daar heb ik je over verteld. Nu zijn er drie jongens die me al wekenlang pesten. Met de introductie zat ik samen met hen in een groepje, maar vlak daarna deden ze ineens of ze me niet kenden als ik bij hen ging zitten. Ik vermeed hen dus algauw in de pauze en ging bij een groepje meisjes zitten. Toen ze dat zagen, zijn ze begonnen met me uit te lachen. Dat zo'n kabouter als ik zeker bescherming van meisjes nodig heeft. "Michiel nihil" noemen ze me tegenwoordig. Steeds als ze me zien, gaan ze op hun hurken zitten. "We verlagen ons graag tot jouw niveau," zeggen ze dan. Vandaag was ik klassenboekdrager, omdat Eline ziek is. Hebben ze het gepikt en kwijt gemaakt. Ik

moest naar de conrector en ben nu voor een week van school geschorst. Van Zanten geloofde me niet, toen ik zei dat drie jongens uit mijn klas het van me afgenomen hadden, omdat ik hun namen niet wilde noemen. Maar ja, als ik hen verraad, wordt alles alleen nog maar erger. Ze lieten me al een keer struikelen en ze botsen altijd keihard tegen me aan. Ik weet echt niet wat ik moet doen.
Errug, hè?'

Ik liet een lange, indrukwekkende stilte vallen.

'Gelukkig maar dat het niet waar is.
Ik heb trouwens wel drie rode kaarten en de rest van de week prikdienst.
Maar wat betekent dat nou, als je het plaatst naast wat me allemaal had kunnen overkomen. Je moet zoiets in het juiste perspectief zien.'

Het hielp niet.

Woensdag 19 september
Dag van de diëtist, morgen vaderdag

Uitslag Test: Hoe maak jij nieuwe vrienden?

Ja, daar is de uitslag dan eindelijk. Vergelijk je antwoorden met deze types. Bij welk type heb je de meeste antwoorden?

De stoere opschepper
1.h - 2.c - 3.f - 4.a
Misschien denk je dat stoer doen, grappen maken en op alle mogelijke manieren de aandacht trekken een goede manier is om vrienden te maken? Nee dus, jouw gedrag werkt eerder afstotend. Wees nou maar gewoon jezelf.

De slijmbal
1.a - 2.f - 3.c - 4.c
Aardig zijn werkt, maar slijmen dus echt niet. Oké, iemand die jou lekker wil gebruiken en uitbuiten, heeft misschien belangstelling. Maar van kruiperig gedrag houdt meestal niemand. Je hebt het echt niet nodig om zo te doen.

Het verlegen muurbloempje
1.b - 2.e - 3.g - 4.b
Klopt het dat jij stil en verlegen bent en niet snel als eerste op een nieuw groepje durft af te stappen? Weet je dat verlegenheid vaak verkeerd wordt uitgelegd? Kinderen denken snel dat je verwaand bent en geen contact wilt. Wat je moet doen? Probeer over je angst heen te stappen

en toch zelf als eerste iets te zeggen of op anderen af te stappen.

Het ik-doe-wat-ik-zelf-wil-type
1.g - 2.b - 3.e - 4.f
Er is niks mis mee als je je eigen koers wilt varen. Maar als jij je echt heel anders kleedt en gedraagt dan de rest van de klas, kunnen zij dat opvatten als een teken dat jij de rest afwijst. Het kan dus in je nadeel werken. Laat daarom regelmatig duidelijk merken dat je geïnteresseerd bent, doe vriendelijk en luister goed.

De pestkop
1.c - 2.g - 3.b - 4.g
Heb jij het nodig om anderen te pesten? Heel triest. Hier maken we verder geen woorden aan vuil. Of wil je wel anders, maar weet je niet hoe? Ga dan naar een leerkracht en vraag om hulp.

De roddelaar
1.d - 2.h - 3.a - 4.h
Denk jij dat je door roddelen over minder populairen zélf populairder wordt? Nou, dan heb je het mis. Door zulk gedrag laat je zien dat je onaardig en niet te vertrouwen bent. Daar hebben andere kinderen geen zin in. Niet doen dus!

De meeloper
1.f - 2.a - 3.h - 4.e
Jij kijkt wie de populairen zijn en probeert daar bij te

horen. Zijn dat pestkoppen? So what? Jij toch zeker niet? Je loopt alleen maar mee. Niet dus! Wie meeloopt, doet ook mee. Probeer je eigen keuzes te maken. Je zult er alleen maar betere vrienden door krijgen.

De normale
1.e - 2.d - 3.d - 4.d
Ach, zoals de meeste kinderen ben jij gewoon normaal. Je bent meestal gelukkig en doet geen heel gekke dingen. Voor nieuwe vrienden sta je open, maar je hebt er ook geen probleem mee als je eens alleen bent.

Verder geen nieuws vandaag. Ik heb het te druk.

Donderdag 20 september
Vaderdag

Anti-hulp 3

'Papa, je weet wel dat ik een abonnement op *Weet ik veel* heb, dat populairwetenschappelijk tijdschrift.
Nou, wat ik daar nu in gelezen heb! De hersenen van pubers zoals ik zijn helemaal in de war, omdat ze nog in ontwikkeling zijn. Bij ons wint het emotionele deel van onze hersenen het altijd van het denkende deel. Dus als ik eigenlijk een proefwerk moet leren, maar ik krijg een sms'je dat er een leuk feest is, dan kan ik er niks aan doen dat ik naar dat feest wil. Ik vergeet onmiddellijk dat ik een proefwerk heb.
Je kunt zeggen dat pubers rekening moeten houden met de wensen van hun ouders. Jammer dan. Pubers gebruiken maar een klein stukje van dat deel van de hersenen dat geprogrammeerd is om rekening met anderen te houden. Wij kunnen dat gewoon niet, omdat wij vooral het achterste deel van onze hersenen gebruiken en volwassenen het voorste deel. Dat is echt wetenschappelijk bewezen.
Nog zoiets. Bij pubers gaat de biologische klok anders werken. Wij worden net zo laat moe als jullie volwassenen. Dus tussen elf uur 's avonds en één uur 's nachts. Voor die tijd lukt het ons echt niet om in slaap te vallen. Maar helaas is er een verschil met volwassenen. Jullie hebben aan zeven of acht uur slaap genoeg. Pubers dus echt niet! Alleen baby's hebben meer slaap nodig. Wij kunnen er niks aan doen dat we pas 's middags wakker worden. Voor die tijd zijn we niks waard. Wist je

dat pubers hogere cijfers halen als school later begint? En het ergst is dat pubers slaap nodig hebben om te groeien. Anders blijven ze eeuwig klein. Het is zo oneerlijk dat de schooltijden afgestemd zijn op leraren en niet op leerlingen!'

Ik zweeg om mijn vader de kans te geven alle informatie te verwerken.

'O ja, ik ben een dag geschorst omdat ik mijn te-laat-briefje te laat inleverde. Maar dat snap je nu wel, hè?'

Mijn vader snapte het niet.

Je begrijpt wel dat ik niet heb gezegd dat pubers ook al niet kunnen plannen door die hersenen die in de war zijn. Dan zou hij vast nog meer aan huiswerkbegeleiding willen doen. ☹

Vrijdag 21 september
Wereld Alzheimerdag, Internationale dag van de vrede/begin van de herfst, over vier dagen vaderdag

How to pimp a boring school day?

Nee, we gaan geen leraartje pesten. Dat is niet grappig. Dat is zo kinderachtig en flauw. Maar ik zal Michiel niet heten of ik heb wel wat anti-verveeltips voor je in de aanbieding, als je je aandacht niet bij de les kunt houden.

Weblog
Schrijf een leuke weblog op papier. Tik hem later over voor je eigen site. Heeft als voordeel dat je hem nog een keer leest en daardoor vanzelf nog wat verbetert. Mijn beste schrijftips zal ik je later geven.

Zeeslag
Je hebt voor dit spel ruitjespapier en een buurman nodig. In noodgeval voldoet een buurvrouw ook. Zet allebei twee keer tien bij tien vakjes af en nummer ze horizontaal van A tot en met J en verticaal van 1 tot en met 10.
Op één veld teken je je eigen vloot. Op het andere veld ga je die van je buurman, de vijand, raden. Zorg dus dat je niet bij elkaar kunt kijken. Ieder heeft vier duikboten van één vakje, drie torpedojagers van twee vakjes lang, twee kruisers van drie vakjes lang en een slagschip van vier vakjes lang. De schepen mogen niet tegen elkaar aan liggen, ook niet met de hoeken, maar wel met de korte kant tegen de wal liggen. Het

is oorlog, dus het gaat erom dat je elkaars vloot laat zinken. Je mag om de beurt een bom gooien door een vakje te noemen, bijvoorbeeld A3. Je buurman zegt 'raak' als er wat geraakt is of 'plons' als het een misser was. Jij tekent in het lege veld een stip voor een plons en maakt het vakje zwart bij een voltreffer. Wie heeft het eerst de vloot van zijn buurman in de pan gehakt?

Vijftien

Speel dit spel met je buurman. Zet op een veld van drie bij drie vakjes om de beurt een getal tussen de één en de tien in een van de negen vakjes. Wie begint, mag alleen de oneven getallen 1, 3, 5, 7 en 9 gebruiken; de ander alleen de even getallen 2, 4, 6 en 8.
De winnaar is degene die het eerst een rij van drie getallen met een som van vijftien heeft gemaakt. Lijkt simpel, hè? Maar er zijn 9.355.565 verschillende combinaties mogelijk!

Schoolbezettertje

Speel schoolbezettertje. Je hebt er ruitjespapier en een buurman voor nodig. Je mag om de beurt één lijntje van een ruitje met een stift vet maken. Het gaat erom met die lijntjes vierkantjes te vormen. Zet je een lijntje waarmee een vierkantje wordt afgemaakt, dan ben je de bezetter van een schoollokaal. Je schrijft dan de eerste letter van je naam in dat lokaal. Vervolgens mag je nog een lijntje trekken. Net zolang tot je geen lokaal meer kunt maken. Als het vel vol is, is het spel afgelopen. Wie de meeste lokalen bezet heeft, is de winnaar.

Pas op voor driehoeken!
Speel dit spel met je buurman. Maak een speelveld van zes punten, de denkbeeldige hoekpunten van een gelijkzijdige zeshoek. Neem allebei een andere kleur stift. Trek om de beurt een lijn tussen twee punten die nog niet met elkaar waren verbonden. Je mag gerust andere lijnen snijden. Wie het eerst een driehoek maakt, heeft verloren. Een driehoek heeft drie van de zes oorspronkelijke punten als hoekpunt. Driehoekjes die ontstaan als de lijnen elkaar snijden, tellen niet mee.

Bingo
Speel bingo. Dit spel speel je met de hele klas. Het kost wel een beetje voorbereiding. Verzamel tijdens een paar lessen wat stopwoordjes van één bepaalde leraar. Er mogen gerust ook vaktermen bij zitten. Maak dan bingovellen met bijvoorbeeld vijf bij acht vakjes. Maak verschillende vellen door op elk vel twee woorden weg te laten. Deel de bingovellen van tevoren uit. Let in de les goed op of de leerkracht een bepaald woord gebruikt. Je mag het dan wegstrepen. Natuurlijk roep je geen bingo, want dan kun je dit spel maar één keer spelen. De leraar neemt meteen alles in beslag. In plaats van bingo roep je: 'Meneer, ik snap het niet.'

Portrettekenen
Je leraar fotograferen of filmen met je mobieltje is niet grappig. Zijn portret tekenen wel. Oefen je talent dagelijks. Plaats de tekeningen als quiz in de schoolkrant. Wie is die man/vrouw?

Bestudeer lichaamstaal

Wil je je leraar goed leren kennen, let dan op zijn gebaren, hoe hoog of laag en hoe hard hij spreekt, hoe hij erbij staat, wat hij met zijn handen doet en natuurlijk wat voor kleren hij draagt. Let op zijn hoofdknikjes, opgetrokken wenkbrauwen en de blik in zijn ogen, kortom let op álles. Zeventig procent van onze communicatie gebeurt via dit soort lichaamstaal. Je leraar kan wel zeggen dat hij de baas is, maar als hij ineengedoken voor de klas staat met friemelende handen, dan voelt hij zich helemaal niet zo. Een leraar die echt de baas is, zit breeduit en ontspannen, soms zelfs met de handen gevouwen in de nek. Hij probeert je blik te vangen en je aan te staren. Hij kan zijn voorhoofd fronsen en streng kijken. Hij kan zelfs expres zwijgen om de spanning op te laten lopen. Als hij praat, laat hij zijn stem dalen. Noteer elke saaie les wat je opvalt aan lichaamstaal. Over een paar maanden ben je expert.

Betwetertje

Vwo betekent voorbereidend wetenschappelijk onderwijs. Neem nooit zomaar iets van een ander aan, is het motto van de wetenschap. Nou is vwo wel geen wetenschappelijk onderwijs. Het probeert je er alleen maar op voor te bereiden. Maar het spel betwetertje is echt iets voor nerds. Vraag daarom bij alles wat je docent zegt, een bewijs. Accepteer het niet als hij zegt: 'Neem dat nou maar gewoon van mij aan!' Als je het sowieso al beter weet, is het natuurlijk helemaal scoren. Voor iedere keer dat je een docent met zijn mond vol tanden laat staan, krijg je een punt.

Zaterdag 22 september
Burendag, over drie dagen vaderdag

Anti-hulp 4

Er zijn veel heel erge dingen in het leven van een bruggertje. Wij bruggers worden getreiterd door ouderejaars, door klasgenoten en leerkrachten alsof we vogelvrij zijn. Staat er soms een beloning op bruggertje pesten? Wij sjouwen ons een ongeluk met boekentassen. De ene na de andere brugger verschijnt in een gipsen korset op school vanwege een gebroken rug. We moeten elke dag door weer en wind kilometers ver naar school fietsen en altijd valt de plaatselijke regenbui precies waar wíj fietsen. Erger nog, meestal volgt die lokale bui ons vanaf het schuurtje thuis tot de fietsenstalling bij school. Zodra wij de schooldeur achter ons hebben dichtgetrokken, wordt het buiten droog. Het is een regelrecht mirakel als je eens níét verkouden bent. Normaal hebben we last van koortsblosjes, tranende ogen, genies, gesnotter, gehoest en piepende longen. We krijgen bergen huiswerk, terwijl we liever gaan voetballen, gamen, msn'en, films kijken, kortom álles behalve dat huiswerk maken en leren. Bruggers moeten vroeg hun bed uit, terwijl hun hersenen in de war zijn. Wij zijn de kleinsten op school en sommigen (ik!) zijn zelfs de kleinsten van de klas.
Vaak hebben bruggers ouders die in hun midlifecrisis zitten. Pas als ze een jaar of vijftig zijn, valt er weer redelijk met ze te praten en klimmen ze een beetje uit hun dip omhoog. Ze zijn gescheiden, maken ruzie om de kinderen, zijn jaloers op

elkaars nieuwe relaties, hebben ineens een kindercrèche en houden er de meest vreemde denkbeelden en dwangneuroses op na. (Mijn moeder zit sinds kort op gelukstherapie en dat is iets anders dan spelen om de jackpot. Kom ik op terug!)
Dit klinkt behoorlijk dramatisch, hè? Ik kan je verzekeren dat het in werkelijkheid nog veel erger is. Nee, op het leven van een bruggertje hoef je echt niet jaloers te zijn. Wie in groep acht zit, moet daar vooral blijven.
Maar nog veel dramatischer – zeg maar gerust *killing* – is een werkloze vader die je bijles en studiehulp geeft, en álles van je wil weten. Tot nu toe heeft geen enkele tactiek gewerkt om eronderuit te komen of hem wat milder te stemmen bij mijn mislukkinkjes, probleempjes of pechsituatietjes. Een keertje een dagje geschorst worden, spijbelen, een rode kaart op zijn tijd of een onvoldoende hoort er toch gewoon bij? Hij draait de handboeien alleen maar nog strakker vast.

Toen ik vandaag bij studieles zat, kreeg ik plotseling een briljante inval. Eindelijk weet ik hoe ik van hem af moet komen, hoe ik hem met zachte hand kan ontslaan, zoals op zijn werk. Aan de kant gezet, overbodig, nutteloos, niet meer nodig, gaat u maar. Prettiger dan dat gezeur van mijn vader is het zó goed doen op school, dat zijn controle belachelijk wordt. Ik ga Supernerd worden. Let op! Blijf mijn blogs volgen, vooral als je ook een stuudje wilt worden.

Reactie, 24 september
Nu snap ik pas hoe erg het met je is. *What are friends for?* Morgen gaan wij een dag samen bankhangen. Ik heb een paar gave films en een voorraadje chips. Waag het niet om af te zeggen met als excuus dat je moet leren!
Milan

Zondag 23 september
Over twee dagen vaderdag

Te koop
Er wordt wat bij elkaar verzonnen om mensen geld uit de zakken te kloppen. Ik heb wat voorbeelden uit de weekendkranten verzameld.

SOLARBAG
Tas met zonnepaneeltje om je mp3-speler of mobieltje mee op te laden.
Jammer dat die laatste twee nou net verboden zijn op school.

DE WONDERJOCK
Een aan de voorkant extra opgevulde push-up-mannenonderbroek.
Misschien toch wel interessant voor een aantal brugklassers?

SCHRIFTELIJKE CHOCOLADEMASSAGECURSUS
Compleet met voldoende chocolade voor vier massages en een handleiding om chocolade te leren smelten en iemands blote velletje lekker in te smeren met dat bruine goedje.
Vast verboden af te likken.

PRATENDE WC-BRIL
Een wc-bril met praatchip herinnert je aan doortrekken en handen wassen.
Als die bril nou maar geen vieze praatjes gaat verkopen. ☹

TALK TO THE HAND...
Een ski- en snowboardhandschoen die via bluetooth in verbinding staat met je mobieltje. De speaker zit in de duim van de handschoen, de microfoon in de palm.
Maar hoe veilig is bellen onder het snowboarden?

PUZZLE ALARM CLOCK
Als deze wekker afgaat, vliegen de puzzelstukjes je om de oren. De wekker stopt pas als je de puzzelstukjes op de goede plaats in de wekker hebt teruggelegd.
Jak! Van zo'n wekker word je echt wakker.

GASMASKER
Gasmasker tegen uitlaatgassen.
Fietsen is gezond, behalve in sommige wereldsteden. Daar heb je dus een gasmasker nodig.

RICHTINGAANWIJZERS
Richtingaanwijzers voor op de fiets, te monteren aan het stuur.
Handig voor als je je handen nodig hebt voor je iPod en je mobieltje.

MOSQUITO
Een antihangjongerenapparaat dat een irritant hoog zoemend geluid maakt dat alleen hoorbaar is voor mensen jonger dan 25 jaar. Hangt al in zestig gemeenten op meerdere plaatsen.
Hebben ze zoiets ook voor leraren?

HERRIEMAKER

Turbospoke, zo heet een herriemaker voor op de fiets. Het geluid van een ratelende speelkaart wordt versterkt door een uitlaat.

Typisch een gadget waarmee brugklassertjes door de mand vallen.

KANTOORGELUIDEN

Een druk, dynamisch kantoor trekt meer klanten aan dan een eenmanszaak. Vandaar deze cd met kantoorgeluiden, zoals telefoongerinkel. Dat doet het beter dan kindergehuil op de achtergrond.

Leuk vader- of moederdagcadeautje.

HONDENPARFUM

Flesje parfum van meer dan vijftig euro met onder andere oranje- en amandelbloesemolie voor honden.

Dat snap ik nou weer wel. Die beesten kunnen stínken!

KOELPET

Pet met zonnepaneeltje dat een klein ventilatortje aandrijft dat verkoeling geeft.

Handig bij een oververhit hoofd, tijdens de buitengym.

Maandag 24 september
Morgen vaderdag

Anti-geluk

Gezinnen heb je in soorten en maten. Boeiend... ik vind ze allemaal stom. Of het nu om een probleemgezin gaat (waar de ouders losse handjes hebben) of om een multiprobleemgezin (waar de ouders losse handjes hebben en waarvan de vader ook nog eens crimineel en alcoholist is en de kinderen adhd'ertjes ofwel kleine crimineeltjes). Of het nu om een allochtoon of een autochtoon gezin gaat. Of een spitsgezin (waar de ouders fulltime werken en alles zich gehaast tussen 19 uur en 21 uur afspeelt), een mikadogezin (zoals dat van mijn vader), een birdnestinggezin (kinderen blijven in het huis wonen als de ouders gaan scheiden en de ouders wonen bij toerbeurt bij hen in), een stiefgezin, een succesgezin (rijk en elitair met voorbeeldige kinderen), een perfect gezin (alleen een theoretisch model, komt in de praktijk niet voor), een homogezin (twee vaders of twee moeders), een gemiddeld gezin (vader, moeder, twee kinderen, modaal inkomen, rijtjeshuis), een gescheidenoudersgezin (kinderen moeten dagelijks of wekelijks verhuizen), een weekendvadergezin (gescheiden ouders, kinderen zien de vader in het weekend). Echt allemaal even erg. Maar het rampzaligst is toch het alleenstaandemoedergezin (zoals dat van mij). Zo'n moeder reageert alles af op haar lieftallige kind.
Zoals ik.

Ik meldde het al eerder, maar mijn moeder is weer eens in therapie. Het drong eindelijk tot haar door dat ze toch wel wat overmatig last had van angstaanvallen. Er staan morgen echt geen *aliens* op de stoep om de *war of the worlds* uit te vechten.
Op zich vind ik het geen slecht idee dat ze probeert een beetje normaal te worden. Stel dat het helpt en dat ze haar rampenvoorraad plotseling overdreven vindt – als ze bijvoorbeeld leert in het Nu te leven –, dan komt het kleine kamertje weer vrij en kan ik er misschien toch een drumstel in zetten. Maar deze therapie is een absolute giller. Ze leert nu hoe ze gelukkig moet worden.
Eerst dacht ik nog dat gelukstherapie iets met kansberekening van doen had; een soort minicursus hoe het casino te tillen. Maar nee, ze krijgt tips en trucs om zich een blijer mens te voelen. Zo oefent ze in glimlachen. Want, zo luidt de theorie, als je je blij gedraagt, ga je je vanzelf gelukkiger voelen. De *Mona Lisa* is er niets bij. Ook doet ze haar best vriendelijk te zijn en dingen voor een ander te doen, alweer vanwege dezelfde theorie. Maar die ander ben ik dus noodgedwongen. En nog eens extra, omdat aandacht voor haar familie óók een van de geluksstrategieën is.
Je kunt denken: wat is daar nou mis mee? Beter toch dan zo'n zeur- of moppermoeder?
Nou, ik kan je vertellen dat er alles mee mis is. Alsof ik aan al die aandacht van mijn vader nog niet genoeg had!
Stel je voor. Elke ochtend om zeven uur, ook in het weekend, komt ze mijn kamer binnen met een kopje thee en een beschuitje. Ze zet dat dienblad op mijn nachtkastje en voor ik

onder mijn dekbed heb kunnen kruipen, geeft ze me zo'n natte plakzoen waar ik helemaal niet om gevraagd heb. Daarna gaat zij op haar kamer mediteren. Ze zet daarbij een heel eentonig muziekje op dat klinkt als 'oooooommmmmm'. Ik probeer steeds om niet te denken over welke oom ze het heeft, maar daardoor gaat die vraag zich almaar vaster in mijn hoofd zetten. Slapen kan ik dan wel vergeten. Die oom is erger dan een wekker. Precies als ik onder de douche ga, is zij klaar met haar ge-oom en ruimt ze snel alle troep op mijn kamer op, óók alle briefjes met geniale ideetjes voor deze blog. Daarvoor in de plaats hangt ze mierzoete briefjes op met teksten als 'Ik hou van je'.

Vandaag heeft ze bedacht dat het wel heel zielig voor me is dat ik gescheiden ouders heb. Nooit heeft ze nog maar iets met mijn vader te maken willen hebben, maar nu ineens wil ze het contact herstellen. Voor mij. Want kinderen hebben recht op twee verstandige ouders, die geen ruzie maken maar een prettig nahuwelijk hebben. Vooral met dat 'verstandige' ben ik het eens, maar over de invulling van een prettig nahuwelijk verschillen we van mening. Mijn moeder wil van nu af aan elk weekend een familiediner organiseren. Niet alleen mijn vader is dan welkom, ook Myrthe en hun kindercrèche. Hoe haalt ze het in haar hoofd te denken dat zoiets leuk voor mij is?

Mijn moeder zegt dat ik dankbaar moet zijn, want dankbare mensen zijn gelukkiger.

Ik zal dankbaar zijn, als zij zo gelukkig is dat ze mij (en mijn vader) er niet meer bij nodig heeft. Nou ja, een drumstel is ook goed. Daar wil ik best dankbaar voor zijn.

Dinsdag 25 september
Vaderdag

Minicursus supernerd 1
Betere punten scoren door te slijmen

Het is niet anders, maar op school tellen uitsluitend de punten, wat docenten je ook proberen wijs te maken. Vooral die van maatschappijleer, Nederlands, biologie en geschiedenis willen je graag laten geloven dat ze in jouw opvoeding geïnteresseerd zijn. Ze willen je normen en waarden bijbrengen. Het geeft ze veel voldoening met jongeren te werken.
Vergeet het. Voor jou gaat het om de punten die je van die idealistische types krijgt, ook al doen die docenten net alsof het vak bijzaak is.
Er is nog iets wat je moet weten. Want de punten die je krijgt, zijn niet objectief. Docenten geven hogere punten aan leerlingen die ze leuk vinden en lagere aan degenen die ze ettertjes vinden. Er zit niets anders op dan te slijmen bij je docenten, vooral als je er slecht voor staat.
Hoe?

Slijmtip 1
Probeer een plaatsje voor in de klas te bemachtigen (bof ik even). Je docent zal instinctief denken dat je hem aardig vindt. Dat streelt zijn ego.

Slijmtip 2
Glimlach af en toe naar je docent en kijk hem aan. Doet wonderen! Hij gaat jou vanzelf aardig vinden. Bijkomend voordeel

als je vooraan zit, is dat je klasgenoten niets merken van je slijmlachjes.

Slijmtip 3
Gedraag je enthousiast en geïnteresseerd. Probeer te begrijpen wat je docent zegt en stel af en toe een slimme vraag. Een docent is daar heel gevoelig voor. Hij wil niets liever dan zich uitsloven voor je (en je hoge punten geven).

Slijmtip 4
Maak geen cynische grapjes en gedraag je niet grof, verongelijkt of kwaad naar je docent. Word je vals beschuldigd of benadeeld? Ga niet in de aanval en ga ook niet in de verdediging. Vertel rustig en beleefd hoe de zaak echt in elkaar steekt, liefst met glashard bewijs natuurlijk.

Slijmtip 5
Hang niet onderuitgezakt op je stoel of voorover met je hoofd op je armen op je tafeltje. Dodelijk is als je echt in slaap valt. Ga rechtop zitten en schuif je stoel aan. Scheelt minstens een punt op je rapport. Frisse lucht is trouwens dé oplossing tegen uitvallende hersenfuncties. Vraag of er een raam open mag.

Slijmtip 6
Zorg dat je er in de ogen van docenten leuk en netjes uitziet. Dus geen motherfucker-teksten op je shirt, geen lange haren voor je ogen en geen al te erg afgezakte broek.

Slijmtip 7
Promoot jezelf. Laat zien dat je een positief ingestelde leerling bent en doe mee aan de schoolmusical, de schoolkrant of een team van school dat het op gaat nemen tegen een andere school. Zorg dat docenten je naam elders tegenkomen. Als klassenvertegenwoordiger heb je natuurlijk ook een streepje voor.

En dan nu nog de proef op de som...

Wordt vervolgd.

Woensdag 26 september
Europese dag van de talen, morgen vaderdag

School-wc-wijsheid

Ze stinken minder dan de wc's op de basisschool, maar toch... echt voor je lol ga je er niet naartoe. Behalve dan dat er steeds meer wijze teksten op de muren verschijnen.

- Kom niet te laat; spijbel gewoon een dag.
- Maak niet steeds dezelfde stomme fout. Er is zo veel keus!
- Wie met poep smijt, wordt zelf vies.
- Spiek niet tijdens een proefwerk; je kunt beter even overleggen.
- Erger dan domme dingen zeggen, is de waarheid niet zeggen.
- Maak van het leven van je lerares geen hel; daar zorgt haar man wel voor.
- Wie nooit zijn mening verandert, heeft ook nooit iets bijgeleerd.
- Wat is de overeenkomst tussen een leraar en een baby? (Ze gaan allebei krijsen als ze niet genoeg aandacht krijgen.)
- Gelijk krijgen is niet hetzelfde als gelijk hebben.
- Praat niet in de klas; schreeuwen heeft meer effect.
- Als je vasthoudt aan het oude, kom je nooit verder.
- Ren niet door de gangen; skaten is leuker.
- Wat is het verschil tussen een trolleybus en een leraar? (Een trolleybus stopt als hij de draad kwijt is.)
- Gooi geen propjes; rugzakken zijn veel effectiever.

Donderdag 27 september
Wereldtoerismedag en…
vaderdag

Anti-slijm

Niet dat mijn slijmtips niet goed zijn of niet zouden werken. Ik twijfel er na vandaag alleen aan of ze voor míj werken.
We hadden aardrijkskunde van Ham. Ik had vanmorgen vroeg al geprobeerd de licht ontvlambare bom in me te demonteren. Maar omdat ik niet het juiste gereedschap bij de hand had, besloot ik over te gaan tot de slijmaanval. Ik ging in de klas keurig rechtop zitten, boek op de tafel, mijn mobieltje stond uit en lag onder in mijn tas die netjes op de grond stond.
'Goedemorgen juffrouw Hammer,' begroette ik haar met mijn beminnelijkste glimlach. Mijn groet en glimlach werden slechts beantwoord met een cynisch trekje aan de linkerkant van haar bovenlip, waar ook drie lange zwarte haren groeien. Het paste binnen mijn strategie om haar haar onverzorgde uiterlijk te vergeven.
'We hebben het vorige week over vulkanisme gehad,' begon Ham. 'Voor jullie je boeken pakken, ga ik jullie eerst mondeling overhoren.'
Ik realiseerde me meteen dat ik één ding vergeten was bij mijn slijmstrategie: – stom, stom, stom – ik was mijn leerwerk vergeten te doen.
'Wat is een hotspot?' vroeg Ham. Ze keek met een blik als een rechercheur in een krimi de klas rond. Ik haalde opgelucht adem en stak ijverig mijn vinger op. Met een knikje, zo koel

dat het vulkanen kon doven, gaf ze aan dat ik antwoord mocht geven. Ik barstte meteen enthousiast los. Over hotspots hoef je mij niets te vertellen. Operatie Slijm geslaagd. Dácht ik.
'Een hotspot is een plek binnen het bereik van een draadloos netwerk. Je vindt ze op stations, vliegvelden en in hotels. Je moet er meestal vet voor betalen. Maar het leukst zijn natuurlijk onbeveiligde particuliere netwerken. Ik ken er in de buurt van de school nu al drie. Handig voor als je een smartphone hebt, zoals ik...'
Ik stopte verschrikt. In de klas werd gelachen.
Ham was duidelijk niet gecharmeerd van mijn toch heldere uiteenzetting en het rumoer in de klas. Ze liep rood aan en stampte met haar hak op de grond. Toen het weer stil was, stak Ex met een Mona Lisa-smile haar vinger op, nadat ze mij op een juist duivels lachje had getrakteerd.
'Een hotspot is een extreem hete plek in de aardmantel. Daardoor is er bij een hotspot veel vulkanische activiteit. Het magma is bij een hotspot anders van samenstelling dan dat van een vulkaan, die ontstaan is door het schuiven van de aardplaten.'
'Goed zo,' reageerde Ham. 'Je krijgt een plus erbij. En jij...' Ham priemde haar vinger naar mij. 'Jij kunt de klas uit. Cabaret moet je maar in je eigen vrije tijd gaan spelen.'

Conclusie: bij Ham werkt slijmen niet en zal ik een andere tactiek moeten verzinnen.

Vrijdag 28 september
Controle van mijn beugel bij de orthodontist, over vier dagen vaderdag

Minicursus supernerd 2
Betere punten scoren door slim te zijn

Intelligentie heb je te danken aan de voorhoofdskwab in je hersenen en de neuronen in je hersenschors. Je hebt er daar zo'n honderd miljard van. Zou je die neuronen achter elkaar leggen, dan is dat dezelfde afstand als een retourtje naar de maan. Iedere neuron staat met duizenden andere neuronen in verbinding. Via die verbindingen worden boodschappen doorgegeven. Het is dus afhankelijk van je hersenen hoe intelligent je bent. Intelligentie is helaas niet voor iedereen hetzelfde en de punten die je scoort, hebben daar wel een beetje mee te maken. Maar niet getreurd. Ik heb uitgezocht hoe je met simpele middelen het maximale uit je brains kunt halen.
Hoe?

Slimtip 1
Zorg dat je hersenen in een goede conditie zijn door te ontbijten met volkorenbrood, melk en fruit en te lunchen met een salade (levert glucose en mineralen), door te sporten (levert zuurstof) en voldoende te slapen (verbetert je geheugen).

Slimtip 2
Train je hersenen elke dag, ook al is het vakantie, door te puzzelen, te lezen, te schaken of een ingewikkelde game te spe-

len. Weblogs schrijven voldoet ook ☺. Het IQ van iemand die zijn hersenen niet traint, zakt in een vakantie met twee punten. Bewezen effectieve hersengym: schrijf eens met je andere hand, kleed je met je ogen dicht aan of lees dit boek eens ondersteboven verder. Of het er grappiger door wordt?

Slimtip 3
Rook niet en drink geen alcohol. Door te roken krijgen je hersenen te weinig zuurstof en door alcohol sterven je hersencellen af. Extra erg als die nog in de groei zijn (tot je eenentwintigste).

Zaterdag 29 september
Over drie dagen vaderdag

Anti-nahuwelijk 1

Ze heeft het doorgezet. Vandaag was het eerste familiediner. Stiekem hoopte ik nog dat mijn vader of anders Myrthe er niets voor zou voelen. Maar helaas.
Mijn moeder heeft de hele dag met een aureool om haar hoofd voorbereidingen getroffen. Twee keer is ze boodschappen gaan doen. Uren heeft ze in de keuken gestaan. Ze nam het huis onderhanden tot alles blonk en glom. Het chicste tafellinnen kwam op tafel, opgeluisterd met alle zes naamkaartjes voor de tafelschikking, kristallen glazen en bloemstukjes. Ze trok echt alles uit de kast om het etentje voortreffelijk te laten zijn. Ze had overal aan gedacht.
Behalve dan aan de kindercrèche van mijn vader en Myrthe. Het was het weekend dat Jesse, Claartje en Jonne van Myrthes eerste leg bij hen zijn.
Dat was mijn moeder straal vergeten.
Stom natuurlijk.
'Voor mij hoef je je niet zo uit te sloven,' zei ik tegen haar. 'En voor al dat grut al helemaal niet. Je weet toch dat ze bij Myrthe een vrije opvoeding krijgen?'
'Dat zal wel loslopen,' zei mijn moeder nog.
Nou, het liep absoluut niet los. Of moet ik zeggen dat het juist wel losliep? Maar dat was pas nadat er twee glazen wijn, een bord tomatensoep en een tafelflesje balsamicoazijn het tafellinnen een ander kleurtje hadden gegeven en

nadat Jonne Claartje bijna in de fik had gestoken met een kaars.
'Wij lusten dit niet,' riepen Jesse, Jonne en Claartje, en ze sloegen hun armen demonstratief over elkaar.
'Geeft niks. Gaan jullie maar lekker spelen,' zei Myrthe.
Omdat Roel van twee en baby Loesje alle aandacht opeisten, er gedoe ontstond omdat Myrthe mijn moeders lamskoteletjes weigerde – ze is vegetariër – en het daarna heel lang stil bleef, was iedereen dat grut volkomen vergeten.
Stom natuurlijk.
Het eerste opvallende geluid dat tot ons doordrong, was de radio die ergens tussen twee zenders op maximaal volume was afgestemd. Daarna hoorden we een knal en daarna een heel salvo knallen en rinkelend glas. Mijn vader en moeder schoten tegelijkertijd overeind en stormden de trap op. Je zag meteen dat ze vroeger een team waren geweest. Het zag eruit als een goed nahuwelijk. Ik holde erachteraan. Myrthe bleef bij de kleintjes. Ja, ja.
De ravage die vrij opgevoede kinderen in een rampenvoorraadkamer kunnen aanrichten, is onbeschrijflijk. Ik zal desondanks een poging wagen.
Jonne was als een mummie in verband uit de EHBO-doos gewikkeld. Jesse had een overall aan van isolerend materiaal en droeg een gasmasker. Hij zag eruit als een marsmannetje. Claartje zat in een reddingsvlot met een zwemvest aan. Het viel mij nog mee dat ze de kraan in de wasbak niet hadden opengezet (met de stop erin natuurlijk) om een leuke overstroming te imiteren. De knallen waren veroorzaakt door afgeschoten vuurpijlen die meteen de ramen aan diggelen ge-

holpen hadden. Natuurlijk hadden ze de maaltijdrepen en de crackers ontdekt. Dat lusten ze dan weer wel.

Mijn moeder is van het geef-nooit-op-type. Het familiediner gaat volgende week gewoon door. Gelukkig zijn Jesse, Jonne en Claartje dan bij hun eigen vader.

Zondag 30 september
Over twee dagen vaderdag

Nieuwsselectie

TE DIK (1)
Bijna de helft van de Nederlandse honden en katten is te dik, blijkt uit onderzoek van de Stichting Platform Verantwoord Huisdierenbezit. Hoe dat komt? Ze krijgen te veel tussendoortjes.

Bah!

TE DIK (2)
Een 42-jarige Mexicaan woog 560 kilogram en was daarmee de dikste man ter wereld volgens het Guinness Book of Records. Maar omdat hij daarna al 200 kilogram is afgevallen, heeft hij ook daarmee het record gebroken. De man was al twintig jaar aan huis gekluisterd, maar vierde zijn afvalrecord voor het eerst buiten de deur. Hij werd met een trailer vervoerd.

Welke crimineel gaf die man te eten?

TE DIK (3)
Een buschauffeur in Trieste is geschorst omdat hij met zijn 155 kilogram te zwaar is. Hij krijgt nog maar de helft van zijn salaris tot hij minstens 20 kilogram is afgevallen. De bestuurdersstoelen in de bus kunnen maar 135 kilogram dragen en nieuwe stoelen kosten nogal wat.

Laat hem bij die Mexicaan in de leer gaan! Kan hij in de tussentijd mooi die trailer besturen.

TE DIK (4)

Bij een Russische vrouw is haar hangbuik operatief weggesneden. Die buik was meer dan een meter uitgerekt en hing tot op haar voeten, zodat ze bijna niet meer kon lopen. Volgens de chirurgen is meer dan zestig kilogram vet verwijderd.

Ik kan anderhalf keer in die buik en ben allang geen baby meer!

HORMONAAL

Als er vrouwen in de buurt van mannen komen, stijgt de testosteronspiegel van mannen onvermijdelijk. Van testosteron worden mannen macho. Dat hebben ze op de Rijksuniversiteit van Groningen uitgezocht.

Geldt dat ook voor mannelijke brugklassers? ☹

TV IS NIET GOED

Amerikaanse tieners met een tv op hun slaapkamer eten ongezonder, bewegen minder en halen lagere cijfers op school dan tieners zonder eigen tv. Dat is onderzocht aan de universiteit van Minnesota.

Het komt niet door een tv hébben maar door de tv aanzetten.

VECHTEN OM LIJKEN

Ziekenhuizen klagen steen en been over uitvaartondernemingen die nog net niet aan het bed van een overledene verkooppraatjes houden, maar verder alles uit de kast trekken om het lijk te krijgen. Ze vechten om adressen van nabestaanden en proberen zo de uitvaart in de wacht te slepen.

Als die uitvaartondernemingen maar niet zelf voor de lijken gaan zorgen...

SCHRIJFLUST

Een op de twee jongeren schrijft wel eens voor zijn lol en is ook van plan door te gaan met schrijven, heeft de Nationale Jeugdraad onderzocht. Meestal zijn die teksten brieven of dagboekteksten. Een op de drie jongeren schrijft korte verhalen, gedichten of songteksten.

Schrijven ís ook leuk! Hebben ze weblogteksten ook meegenomen in hun onderzoek? Ik zal binnenkort een minicursus weblogs schrijven geven.

SEKSCOMPLEX

Amerikanen zijn seksueel gestoord. Maar sinds een tijdje worden daar zelfs peuters en kleuters vervolgd voor seksuele intimiteiten. Zo werd een zesjarig jongetje in de staat Maryland door leerkrachten bij de politie aangegeven als seksuele misdadiger, omdat hij op de speelplaats een meisje een pets op haar billen had gegeven. Ook in peuterspeelzalen is het oppassen geblazen. Zo is in de staat Texas een vierjarige jongen tijdelijk geschorst omdat het arme kind een leidster had omarmd en zijn hoofdje tegen haar borst had gedrukt. De vrouw voelde zich seksueel aangerand. Helaas staan deze gevallen niet op zichzelf. In de staat Virginia waren in één jaar alleen al 255 gevallen van ongewenste seksuele intimiteiten op basisscholen.

Maar als Amerikanen zo'n sekscomplex hebben, waar komen die Amerikaanse kinderen dan toch vandaan?

NUMMER 16

Een echtpaar uit Antwerpen kreeg onlangs hun zestiende kind. Het heet Lovely. Haar broertjes en zusjes heten: Wendy, Cindy, Jimmy, Brendy, Sonny, Sandy, Purdy, Chardy, Yorry, Yony, Britney, Yenty, Ruanby, Xanty en Pearly. Niet dat de ouders geen naam meer weten die op een y eindigt, maar ze willen geen zeventiende kind meer. Ze hopen over een paar jaar voor kleinkinderen te kunnen zorgen.

Zouden die y-kinderen de traditie voortzetten?

NUMMER 17

In Little Rock kreeg een echtpaar onlangs hun zeventiende kind. Een halfuur na de geboorte had de moeder het al over haar volgende zwangerschap. Ze wilde graag nog een meisje, want daarvan had ze er pas zeven. Alle namen beginnen met een J, van Joshua tot Jennifer.

Lekker handig met paspoorten en post en zo.

NUMMER 18

Een 41-jarige Amerikaanse is zwanger van haar achttiende kind. Haar man zegt dat ze kinderen zullen blijven krijgen zolang god dat wil.

Volgens mij wil die echtgenoot ook wel. Ik voorspel dit: volgend jaar meldt nummer 19 zich.

Maandag 1 oktober
Internationale dag van de ouderen, morgen vaderdag

Anti-tijd(gebrek)

Waarom krijg ik continu spam over replica's van dure horloges? Omdat ze weten dat ik de originele niet kan betalen? Dat klopt! Ik ben een brugger zonder bijbaantje en zonder rijke ouders.
Horloges schijnen voor veel mensen (lees mannen) nog meer dan auto's hét statussymbool te zijn. Er bestaan waanzinnig dure exemplaren. Poetin schijnt er eentje te dragen van 60.000 dollar (een Patek Philippe) en Berlusconi zelfs eentje van 540.000 dollar (een Vacheron Constantin). Wie dat niet kan betalen, koopt een replica of een afdankertje dat niet meer loopt. Vooral in Mali in Afrika schijnt dat in trek te zijn. Wie sowieso de tijd heeft, kan een werkend horloge namelijk gemakkelijk missen.
Maar terug naar die spam. Waarom denken ze dat een brugklasser in hemelsnaam met de tíjd geconfronteerd zou willen worden? Tijd gaat altijd te snel als het leuk is (in bed) en te traag als het saai, ellendig of ronduit een kwelling is (op school). En verder heb ik nu al te weinig tijd om al mijn huiswerk fatsoenlijk te kunnen maken. Mijn weblogs eraan geven om huiswerk voor school te kunnen maken, doe ik natuurlijk nooit! Maar tijd voor andere leuke dingen heb ik niet meer. Daarom tijd voor tijdmanagement. Ik heb een heel lijstje met slimme tips bedacht. Misschien heb jij er ook iets aan?

Minicursus supernerd 3

Betere punten scoren door tijdmanagement

Tijdtip 1 – Kweek zitvlees

Moet je maakwerk doen? Blijf vooral achter je bureau zitten en verzin geen smoesjes om weg te lopen en iets anders te gaan doen, zoals even een hapje eten, een slokje drinken, tijdschriftje lezen, filmpje kijken, muziekje luisteren, vriendje/vriendinnetje bellen, sms'en of msn'en, weblogje bijwerken, frisse neus halen, alweer een hapje eten, slokje drinken, vriendje/vriendinnetje bellen, sms'en of msn'en, kaartje aan opa en oma schrijven, je beneden opwarmen omdat het op je kamer te koud is, een computerspelletje spelen, tanden poetsen. Als je begint te fantaseren over de afwas doen, stofzuigen, de auto wassen, boodschappen doen voor je moeder of de was strijken, dan ben je absoluut al te ver heen en helpt alleen nog om het maakwerk te kopiëren van een klasgenoot. Hopelijk ken jij wél iemand die zijn werk gratis afstaat (ik niet dus).

Tijdtip 2 – Stel niets uit

Weet je hoeveel tijd het kost om telkens in je agenda naar je huiswerk te kijken en keer op keer het boek open te slaan om naar je opdrachten te turen en het dan vervolgens toch maar niet te doen? Weet je hoeveel tijd het kost om steeds weer dat briefje voor je ouders van school onder ogen te krijgen en dan weer weg te leggen, omdat je geen zin hebt om het nú naar beneden te brengen? Als je alles meteen doet, kun je volgens mij wel 25 procent tijdwinst boeken. En in die tijd kun je... een hapje eten, een slokje drinken, tijdschriftje lezen, filmpje kijken, muziekje luisteren, vriendje/vriendinnetje bellen, sms'en of msn'en, weblogje bijwerken, frisse neus halen, alweer een hapje eten, slokje drinken, vriendje/vriendinnetje bellen, sms'en of msn'en, kaartje aan opa en oma schrijven, je beneden opwarmen omdat het op je kamer te koud is, een computerspelletje spelen, tanden poetsen. Sukkeltjes onder mijn trouwe lezerspubliek zullen zich afvragen wat het verschil is tussen deze dingen doen als smoesje omdat je geen zin hebt in je werk of als beloning nadat je klaar bent met je huiswerk. De slimmeriken snappen het allang. Van al die vrijetijdsdingen – nee, ik zal ze niet nog een keer opsommen – geniet je veel meer als je klaar bent met wat je moet doen.

Tijdtip 3 – Koop een heel grote prullenbak
Een prullenbak? Ja, dat is namelijk het geheim van een opgeruimd bureau. En een opgeruimd bureau is noodzakelijk. Misschien vind je dit een beetje een vreemde tip van een puinhoopmaker als ik, maar je hoeft van mij met opruimen niet verder te gaan dan je bureau. Wat er op de grond ligt, doet er verder niet toe, behalve als je ziek wordt van de schimmel en de stank op je kamer. Ziek zijn is per definitie tijdverlies. Kieper alles wat je niet meer nodig hebt in de prullenbak. Natuurlijk het liefst gescheiden, zodat het papier gerecycled kan worden. Berg alles wat je moet bewaren, direct op. Zie verder bij tijdtip 2. Stop je bank- of giroafschriften in een ringband. Bewaar je proefwerken en rapporten in een hangmap of een doos. Schaf een rekje aan voor cd's, dvd's en games.

Tijdtip 4 – Zorg voor een Office-pakket op je computer
Op school zijn ze zó ouderwets. Je smartphone als agenda gebruiken is verboden! Terwijl je daar ongelooflijk veel tijd mee bespaart als je hem laat synchroniseren met je computer, mits je Office hebt. Perfect agendabeheer en opvolgingssysteem. Voer in wanneer je welk huiswerk moet maken. Je krijgt dan vanzelf een seintje. Je kunt ook je hele rooster erin zetten, en je bijvoorbeeld een uur van tevoren laten wekken. Je kunt digitale visitekaartjes maken van je klasgenoten en leraren, compleet met foto en wat al niet meer. Als je de verjaardagen invoert, vergeet je nooit meer iemand. Je wordt op tijd (!) gewaarschuwd. Leraren feliciteren past trouwens prima binnen de slijmstrategie.

Tijdtip 5 – Houd je computer opgeruimd
Als jouw digitale bureaublad en je mappen eruitzien als de mijne, dan wordt het hoog tijd ook daar opruiming te houden. Voor je het weet, kun je niks meer terugvinden en is je computer zo traag dat je tijdwinst wel op je buik kunt schrijven. Ruim af en toe cookies op en defragmenteer dan meteen je harde schijf. Wen je met e-mail aan om spam direct te verwijderen en de post die je gelezen en verwerkt hebt, of te verwijderen of in een nieuwe map te plaatsen. Zorg dat je postvak-in zo leeg mogelijk blijft. O ja, en zorg voor een up-to-date virusscanner.

Tijdtip 6 – Let op in de klas
Ik kreeg deze tip van een ouderejaars en ik zweer je: het werkt. Sinds ik oplet in de klas, hoef ik thuis amper nog iets

te doen aan mijn leerwerk. Pure tijdwinst, tenslotte moet je toch in de klas zitten. Wel maak ik onder de les af en toe aantekeningen, als ik merk dat de docent iets belangrijk vindt. Je weet dan zeker dat er met een SO of een compo een vraag over komt. Let op als je een van de volgende dingen hoort:

- Er zijn drie redenen...
- Onthoud goed...
- Ik zal een voorbeeld geven...
- Schrijf op...
- Maar...
- Conclusie...
- Ten slotte...
- De belangrijkste punten die je moet weten zijn...

Tijdtip 7 – Vraag een hdd-recorder

Tv aan op je kamer is verleidelijk, maar geloof me, met tv aan duurt het veel langer voor je klaar bent met je huiswerk en echt genieten van de tv doe je ook niet. Je concentreert je namelijk minder goed. Vraag aan je ouders een hdd-recorder en leg uit dat je die nodig hebt voor school. Je neemt namelijk de programma's die je echt wilt zien op en belooft die pas te kijken als je klaar bent met je huiswerk. Een betere concentratie krijg je ook door msn, hyves, je muziek en je mobieltje uit te zetten. Helaas pindakaas.

Tijdtip 8 – Leer sneller lezen

Een tekst lezen kan op twee manieren. Bij de eerste spreek je de woorden zonder geluid in jezelf uit. Bij de tweede lees je meer woorden tegelijk. Je verklankt die dan niet in jezelf.

Hierdoor kun je je tempo enorm opvoeren. Leer nu zo te lezen dat je de eerste en de laatste woorden van een zin overslaat. Moet je een boek of een aantal hoofdstukken lezen? Voer dan je tempo op door eerst goed naar de inhoudsopgave te kijken en alle tussenkopjes in de leestekst. Zo kun je de tekst nog sneller scannen, want je weet al waar het over gaat.

Tijdtip 9 – Plan!

Hopeloze tip, ik weet het. Toch helpt plannen enorm. 's Avonds je tas inpakken voorkomt 's morgens paniek. En een schema voor je huiswerk (leer- en maakwerk) is de garantie voor goede cijfers scoren. Op voorwaarde natuurlijk dat je je aan je eigen schema houdt.

Dinsdag 2 oktober
Internationale dag van de geweldloosheid en…
vaderdag

Polls

Geef eerlijk je mening. Hoe bevalt het jou in de brugklas?
- Boring, slaap, saai. (20%)
- Verwarrend. Ik voel me als een mier in de verkeerde mierenhoop. (20%)
- Jammer dat ik zo weinig huiswerk krijg. (2%)
- Afschuwelijk. (8%)
- Ik ben nu al overspannen. (16%)
- Het leukste wat me ooit is overkomen. (34%)

Welke smoes gebruik jij het liefst als je je huiswerk niet af hebt?
- Mijn ouders zijn gescheiden. Ik heb het bij mijn moeder laten liggen. (23%)
- Mijn kleine stiefbroertjes hebben het kapot gescheurd. (10%)
- Mijn tas is onderweg van mijn fiets in een modderplas gevallen. (0%)
- Ik was gisteren niet lekker. (10%)
- Ik snapte het echt niet. (29%)
- Ik word gepest en die pesters hebben mijn huiswerk afgepakt. (10%)
- Ik ben vergeten het huiswerk in mijn agenda te schrijven. (18%)

Reactie, 2 oktober
Ik heb wel eens gelogen dat mijn werkstuk bij mijn vader lag en dat ik daar pas weer over twee weken zou komen. Dat laatste was dan weer niet gelogen.
Jennifer

Woensdag 3 oktober
Leidens ontzet, begin Kinderboekenweek, morgen vaderdag

Brugklasmoppen

Om de moed erin te houden vandaag wat brugklasmoppen.

ORDEPROBLEEMPJE

Een docent komt een lawaaierige brugklas binnen. Het is een ongelooflijke puinhoop. Om de beurt vraagt hij de leerlingen wat zij uitgespookt hebben. Wie niet de waarheid zegt, wordt onmiddellijk geschorst.
'Geert, wat heb jij op je kerfstok?'
'Ik heb die tekeningen op het bord gemaakt.'
'Een rode kaart! En jij, Lotje?'
'Ik heb die tekeningen in het klassenboek gemaakt.'
'Wat?! Eruit jij. En jij, Matthijs?'
'Ik heb snippers uit het raam gegooid.'
'O nou... dat valt wel mee, maar doe dat nooit meer!'
Op dat ogenblik komt er een jongen binnen, vol blauwe plekken en schrammen. 'En wie ben jij dan wel?' vraagt de docent boos.
'Tom Snippers, meneer.'

STRAFWERK

Een brugger komt lachend thuis uit school. Zijn vader vraagt waarom hij zo'n plezier heeft.
'Ik moet duizend keer "ik ben een rund" schrijven,' antwoordt de brugger. 'En met de hand.'

'Hoezo is dat grappig?' vraagt zijn vader.
De brugger lacht nog harder. 'Jij moet het ondertekenen!'

BRIL

Een brugger kan de laatste tijd niet meer lezen wat er op het bord staat. Hij gaat daarom naar een oogarts.
'Dokter, ik geloof dat ik een bril nodig heb.'
'Dat klopt,' zegt de man. 'Je staat hier namelijk bij de fietsenmaker.'

OUD

Een brugger moet zich bij de rector melden. Hij klopt op de deur, loopt naar binnen, struikelt en valt boven op een antieke globe. Daar is niet veel meer van over.
'Wat doe je nou?' roept de rector onthutst. 'Die globe is meer dan tweehonderd jaar oud.'
'O, gelukkig,' zegt de brugger. 'Ik dacht dat hij nieuw was.'

AAP

Twee bruggers zijn op schoolreisje. Zegt de ene brugger tegen de andere: 'Hé, die aap lijkt precies op onze mentor.'
'Sst,' zegt de andere brugger. 'Dadelijk hoort hij je nog.'
'Wat dan nog? Denk je nou echt dat die aap dat begrijpt?'

BON

Een brugger rijdt op zijn krakkemikkige oude fiets door het voetgangersgebied. Een agent houdt hem aan en zegt: 'Dat is dan vijftig euro.'
De brugger neemt zijn rugzak van de bagagedrager, overhandigt de agent zijn fiets en zegt opgewekt: 'Verkocht!'

Donderdag 4 oktober
Dierendag en…
vaderdag

Anti-dierendag

Toen ik vanmorgen de klas in kwam, merkte ik onmiddellijk dat er iets aan de hand was. Er werd gegniffeld en er werden heimelijke blikken naar me geworpen, maar niemand zei iets. Pas in de kleine pauze werd ik ingelicht door Milan. Gelukkig heb ik nog een echte vriend.
Op internet circuleren tientallen gefotoshopte foto's van dieren met mijn kop erop die voorzien zijn van pesterige teksten, zoals:
- Schijtlijster
- Snotaap
- Uilskuiken
- Zwart schaap
- Vreemde eend
- Driftkikker
- Angsthaas
- Strontvlieg

Ook slingeren hier en daar op school printjes rond met als titel Dierendag. In de grote pauze heb ik er een stuk of dertig verzameld. Ik weet niet of ik alle versies gezien heb. Mijn eerste reactie was die van een angsthaas. Daarna die van een driftkikker en vervolgens heb ik nog wat heftige emoties doorlopen. Tot ik besloot mijn hersens te gebruiken. Welke gifslang heeft me dit geflikt?

Ik heb genoeg krimi's gezien om te weten dat je voor het oplossen van een misdaad twee dingen moet natrekken: het motief en het bewijs. Voor een motief moet je vijanden hebben. Kat in het bakkie: Ex en Ham. Nu moest ik het bewijs nog leveren. Kwestie van logisch nadenken, want waar had de dader die foto vandaan?
Ik bestudeerde hem goed. Het was geen foto die uit mijn eigen bestand kwam. Ik bestudeerde hem onder een vergrootglas. Wie had die foto gemaakt en wanneer? Jammer dat er geen achtergrond te zien was. Ik keek naar mijn huidskleur. Was hij van voor of na de vakantie? Ik tuurde naar een aanwijzing.
En plotseling schreeuwde die me tegemoet. Hoe had ik dat heterdaadje over het hoofd kunnen zien?
Ik had geen elastiekjes meer aan mijn beugel! En die elastiekjes waren er pas sinds vrijdag uit, toen ik op controle was bij de orthodontist en toen ik daar Ex tegen het lijf liep met haar mobieltje in de aanslag.
Genoeg bewijs? Nee. Ik moet haar mobieltje confisqueren of laten confisqueren. Dat laatste maar.

Dit muisje heeft een staartje.

Reactie, 4 oktober
Yo Michiel, als jij haar niet aangeeft, dan doe ik het! *That's what friends are for!*
Milan

Vrijdag 5 oktober
Dag van de LERAAR, over vier dagen vaderdag

Minicursus supernerd 4
Betere punten scoren door je leraren te kennen

Wie heeft het ooit in zijn hoofd gehaald om de dag van de LERAAR te bedenken? En dan nog wel dé leraar? Alsof die bestaat! Leraren heb je in allerlei soorten. Het is van levensbelang te weten met welke je van doen hebt en hoe je ze het best kunt benaderen om je slijmtips optimaal te laten werken.

De zij-instromer
Kenmerken: de meeste zij-instromers weten nog minder dan andere docenten hoe ze iets moeten uitleggen en hoe ze met jongeren moeten omgaan. De zij-instromer krijgt vaak wel een hoger salaris dan zijn collega's. Dat heeft hij vast geleerd van de graaicultuur in zijn vorige baan.
Aanpak: bij hem heb je maar met één ding succes en dat is omkopen met geld. Doe het altijd zo dat niemand het merkt. Dus geen filmpjes op YouTube.
Waarschuwing: sommige zij-instromers zijn idealisten. Bij hen werkt omkopen juist averechts.

De ik-ben-geen-leraar-leraar
Kenmerken: deze leraar is jong en wil het liefst bij de leerlingen horen. Hij zit op Hyves en msn. Hij wil geen meneer genoemd worden en roddelt graag met je mee over zijn collega's. Veel meisjes zijn verliefd op hem en soms hij op hen, al

zal hij dat proberen te verbergen. In de les is het altijd gezellig, maar van lesgeven komt meestal niets.
Aanpak: wil je iets van hem gedaan krijgen, zoals hogere punten scoren, behandel hem dan zoals je met je vrienden omgaat. Vergeet niet hem toe te voegen op Hyves en msn.

De kan-geen-orde-houden-leraar
Kenmerken: elke les bij dit type eindigt in een puinhoop. Soms schiet de conrector te hulp, soms een leerling met een teergevoelig hartje. Meestal verandert het klaslokaal echter in een slagveld. Als het zover komt dat de leraar begint te huilen, duurt het niet lang meer voor hij langdurig overspannen wordt.
Aanpak: extra goed opletten in de klas loont bij dit type. Neem het ook af en toe voor hem op.

De gefrustreerde leraar
Kenmerken: van deze soort lopen er veel te veel rond op school. Hij is afschuwelijk streng, je weet nooit wat je aan hem hebt en hij maakt geen grapjes, tenzij hij leerlingen voor gek kan zetten. Uit alles blijkt dat hij school en vooral leerlingen haat, maar dat hij niet genoeg talent heeft om te veranderen van loopbaan.
Aanpak: hem benaderen om iets gedaan te krijgen, is het stomste wat je kunt doen. Hij heeft je onmiddellijk door. Schaf liever een onzichtbaarheidsmantel aan.

Klaas Vaak
Kenmerken: moet ik het nog verder uitleggen? Wie wakker blijft bij zijn saaie stemgeluid en zijn slaapverwekkende ver-

haal, is een kanjer. Het is meestal erg rustig in zijn les, behalve als de docent zelf in slaap valt en begint te snurken.
Aanpak: zorg dat je uitgeslapen bent, probeer wakker te blijven en lach vrolijk zodra hij een grapje maakt. Doet wonderen!

Meester Jaap
Kenmerken: dit is de ideale leraar, de held van alle leerlingen en leraren. Hij heeft respect voor je en is geïnteresseerd in je. Hij weet je enthousiast te maken voor zijn vak, is op zijn tijd grappig en heeft gezag.
Aanpak: hij is té ideaal en bestaat daarom dus niet. *Keep on dreaming.*

N.B. Overal waar 'leraar' of 'hij' staat kan ook 'lerares' of 'zij' staan.

Zaterdag 6 oktober
★★★

De dag van de brugklassers

Ik roep 6 oktober uit tot de DAG VAN DE BRUGKLASSERS. Stem mee op www.weblogvanmichiel.nl.

Waarom?
Lees de blogs in mijn archief. Dan begrijp je het wel.

★★★ *O ja, over drie dagen vaderdag*

Zondag 7 oktober
Over twee dagen vaderdag

Anti-nahuwelijk 2

'Breng jij Loesje nou eens naar bed?' vroeg Myrthe aan mijn vader. 'En verschoon meteen Roel even.'
Mijn vader keek bedenkelijk maar deed vervolgens wat Myrthe vroeg en ging met ze naar boven. Zo begon het.
Ze hadden eerst de kleintjes laten eten, zodat de groten (ik hoor daar in dit geval bij) rustig van het echte familiediner zouden kunnen genieten.
Mijn moeder ging rechtop zitten. 'O, ik dacht dat hij bij jou zijn leven gebeterd had en nu een zorgvader was geworden. Daar heeft hij bovendien nu hij werkloos is, alle tijd voor.'
'Van veel kinderen en goede voornemens maken, én tijd in overvloed hebben, word je niet vanzelfsprekend een goede vader,' was Myrthes enigszins ontwijkende antwoord.
Mijn moeder ging nieuwsgierig met wijd opengesperde ogen nog rechterop zitten. 'Is hij nog altijd zoveel weg?'
Myrthe keek even behoedzaam om zich heen en knikte. 'Overdag doet hij nog wel zijn best, een beetje té zelfs. Hij wil ze een soort Spartaanse opvoeding geven. Roel en Loesje moeten toptalentjes worden, zegt hij. We verschillen daarover nogal van mening, maar goed, hij is er in elk geval voor ze. Is het eenmaal avond en liggen ze te slapen, dan is hij pleite. Op maandagavond is hij biljarten. Op dinsdagavond komt Michiel en gaat hij daarna naar een club om te netwerken. Op woensdagavond gaat hij met vrienden kaarten en doorzakken.

Op donderdagavond past hij op de kinderen omdat ik dan naar yoga ga. Op vrijdag is zijn vrije avond, zegt hij. Wat hij dan doet, weet ik niet. En sinds hij werkloos is, neemt hij de hele zaterdag voor zichzelf om naar de bieb te gaan en kranten na te spitten op advertenties. En zaterdag- of zondagavond zijn we tegenwoordig hier. Ik snap niet dat hij er eerst nog een baan naast had, want meneer heeft het altijd druk, druk, druk.'
'Misschien had hij daar ook niet echt tijd voor,' opperde mijn moeder. 'En is hij hem daardoor kwijtgeraakt.'
Ze keken elkaar begrijpend aan.
'Zal ik je eens eerlijk iets zeggen?' vroeg mijn moeder.
Myrthe knikte.
Ik zat op de bank en maakte me zo klein mogelijk. Dit gesprek wilde ik niet missen.
'Ik ben blij dat ik van hem af ben,' zei mijn moeder.
Bij mij kwam dat al hard aan. Het is en blijft je vader tenslotte. Maar hoe zou dat voor Myrthe zijn? Ze keek niet geschokt.
'Ik snap het,' zei ze. 'Ik denk wel eens dat alle mannen alleen aan zichzelf kunnen denken. Ze vinden zichzelf geweldig.'
Ik had moeite om niet te gaan protesteren. Ze hadden het over mijn soort! Maar ik hield me bijtijds in.
Nu knikte mijn moeder. 'Hij zal wel gefrustreerd zijn, want ontslagen worden is niet leuk voor een macho.'
'Soms ben ik wel jaloers op je,' zei Myrthe. 'Jij bent lekker vrij.'
Op dat moment kwam mijn vader binnen. Er viel een pijnlijke stilte.
'Waar hadden jullie het over?' vroeg mijn vader. Tja, die vraag had hij beter niet kunnen stellen.

Myrthe en mijn moeder trokken gezamenlijk ten strijde. Mijn vader moest het afleggen tegen twee boze vrouwen. Het eindigde in scheldpartijen. Ik zal je die besparen.
Maar één ding is duidelijk. Ook een nahuwelijk kan crashen.

Maandag 8 oktober
Morgen vaderdag

Minicursus supernerd 5
Betere punten scoren door te leren

Al ben je nog zo slim, al heb je nog zo goed opgelet in de klas, er komt een moment en dan moet je eraan geloven. Je krijgt een compo en je moet leren: woordjes, aardrijkskunde, biologie, geschiedenis. Zijn er geen manieren om je geheugen te verbeteren? Dat zou even schelen. Ja, die manieren zijn er en ik heb ze voor jou uitgezocht.

Leertip 1
Test jezelf of je beter onthoudt door plaatjes te kijken en te lezen (visueel geheugen) of door te luisteren naar iemand (auditief geheugen). Laat iemand bijvoorbeeld tien minuten woorden voorlezen. Schrijf daarna zoveel mogelijk op van wat je onthouden hebt. Vergelijk je score met een minuut kijken naar tien voorwerpen. Heb je een auditief geheugen, let dan extra goed op in de klas, laat je overhoren of spreek je lesstof zelf in en luister hem daarna af. Heb je een visueel geheugen, dan ben je beter af met een zelfgemaakt schema en door belangrijke zinnen in je boek te onderstrepen.

Leertip 2
Leer niet in één keer alles, maar doe het in een paar keer. Je vergeet namelijk veertig procent van wat je leert binnen vijf minuten en na twee dagen ben je zelfs zeventig procent

kwijt. Alleen door herhaling komt er steeds meer lesstof van je kortetermijngeheugen op je eigen harde schijf terecht. Leuke bijkomstigheid is dat je door te herhalen met tussenpozen ook sneller leert. Dus deze tip kan eigenlijk ook bij de tijdtips.

Leertip 3
Plan je werk. Het beste is om dat in je agenda in Outlook te doen. Je krijgt vanzelf een melding dat je iets moet gaan ondernemen. Natuurlijk kun je dit saboteren door de melding te verwijderen. Slimmer is het om te doen wat je met jezelf hebt afgesproken.

Leertip 4
Verslapt je aandacht? Tijd voor een korte pauze. Loop een rondje door het huis of een blokje om het huis. Als je je even ontspant, kun je informatie beter onthouden.

Leertip 5
Woordjes leren doe je zo:

- Leer nooit twee talen direct achter elkaar. Zeker weten dat je ze dan door elkaar gaat halen.
- Schrijf elk vreemd woord op een klein kaartje. Schrijf achterop de Nederlandse betekenis. Hussel ze door elkaar. Overhoor zo jezelf. Ken je een woordje niet? Leg het kaartje dan opzij. Die moet je straks herhalen.
- Kun je de betekenis van het woord afleiden? Bedenk anders een ezelsbruggetje bij een nieuw woord.

Leertip 6

Zie het als een spelletje om je geheugen te trainen en steeds beter dingen te kunnen onthouden. Jouw geheugen kun je namelijk makkelijk verbeteren, zonder dat je er extra hardeschijfruimte voor nodig hebt zoals bij je computer. Oefen met ezelsbruggetjes. Maak verhaaltjes of rijmpjes van wat je wilt onthouden en vooral: leer alleen als je echt wilt leren, anders is het zonde van je tijd. Een goed geheugen is trouwens ook handig voor al je wachtwoorden en pincodes.

Dinsdag 9 oktober
Vaderdag

Laatste nieuws
Het lijkt wel of alles ineens lukt!

Eruit
Ex is niet alleen mijn Ex, maar ook Ex-Queen Bee. Ze is geschorst tot na de herfstvakantie!!!
Over hoe onze brugklascoördinator erachter gekomen is hoe goed Ex met Photoshop kan omgaan, laat ik me op deze site niet uit. In elk geval had hij een wetenschappelijke aanpak bij de bewijsvoering. Natuurlijk duiken er af en toe nog Michielbeesten op, in print of digitaal, maar ik zit er niet meer mee. Het blijkt mijn imago niet eens geschaad te hebben. Integendeel, ik ben ineens best beroemd geworden op school. Ik hoor langzamerhand bij de populairen.

Erin
Door alle toestanden hebben ze op school eindelijk naar Milan en mij geluisterd. 'Er is een foutje gemaakt,' zei de brugklascoördinator. We mochten kiezen: Milan bij mij in de klas of ik bij hem. We hebben voor het eerste gekozen, omdat mijn klas iets vaker het eerste uur vrij heeft. En Ex? Die lusten we rauw.

Bevorderd
Ik ben van reserveklassenboekdrager bevorderd tot klassenboekdrager. De Anti-partij heeft het met één zetel gehaald tot het leerlingenparlement. Het recht zal zegevieren!
Soms krijg ik zelfs het gevoel dat ik school leuk vind. *How about that?*

Woensdag 10 oktober
Morgen vaderdag

Minicursus supernerd 6
Betere punten scoren door antistresstips

Heb je last van vermoeidheid, extra veel pukkels, een snelle hartslag, hoofdpijn, huilbuien, concentratieproblemen, prikkelbaarheid, gebrek aan eetlust of juist vreetbuien, overmatige transpiratie, verwardheid, misselijkheid, koude handen en voeten, nagelbijten, haren uittrekken, zenuwtics, opgefoktheid, malende gedachten, slapeloosheid, een dip, vergeetachtigheid en gevoelens van hulpeloosheid en hopeloosheid? Heb je minstens zeven van deze verschijnselen, dan is de kans groot dat je in de proefwerkweek zit en last van stress hebt.

Geen nood. Met deze tips overwin je alle zenuwen. Ik heb er in elk geval de compoweek bij ons op school goed mee overleefd.

Tip 1 – Ontspan je
Ontspannen gaat supersnel door op je ademhaling te letten. Adem rustig en diep tot je buik in en adem langzaam uit. Herhaal dit totdat je voelt dat je rustiger wordt. Voel of je je schouders opgetrokken hebt. Zo ja, laat ze lekker losjes hangen. Ga na of je gefronste wenkbrauwen en stijf op elkaar geklemde kaken hebt. Ontspan ze. Knijp je handen en je tenen bij elkaar en ontspan ze daarna. Herhaal dit een paar keer.

Tip 2 – Stop op tijd
Leer niet tot het allerlaatst door. Plan je leerwerk zo dat je ruim op tijd klaar bent met herhalen van de stof. Sport de avond van tevoren en eindig met een lekker warm bad onder het genot van ontspannende muziek.

Tip 3 – Niet doen
Pik geen slaapmiddel van je ouders. Je kunt je dan de volgende dag slechter concentreren. Drink geen of niet te veel koffie of energiedrankjes. Je gaat ervan trillen, je krijgt hartkloppingen en kunt er zelfs paniekaanvallen van krijgen. Ook roken helpt niet. Je wordt er alleen misselijk van. De beste stoere smoes tegenover klasgenoten die je willen overhalen, is trouwens: 'Sorry, ik ben nét gestopt met roken.'

Tip 4 – Stel je voor
De kracht van de verbeelding is onovertroffen. Leun achterover in je bureaustoel. Denk aan je heerlijkste vakantiemoment (nee, niet toen je met je moeder op de naaktcamping was), die verrukkelijke eerste zoen (nee, niet met Ex), je leukste verjaardagsfeest of die keer toen je een wedstrijd had gewonnen. Zet al je zintuigen wagenwijd open. Wat voel je, wat ruik je, wat hoor je, wat zie je? Zeker weten dat de stress wegvloeit.

Tip 5 – Staar je niet blind
Weet je het antwoord op een vraag niet tijdens het proefwerk, sla die vraag dan gewoon even over. Als je klaar bent met de rest, kun je hier al je aandacht aan geven. Denk ook niet dat het eerste antwoord dat in je opkomt ook het beste is. Als je twijfelt, denk dan nog eens rustig na en verander je antwoord eventueel.

Donderdag 11 oktober
Vaderdag

Mission impossible geslaagd

Mijn vader was zo onder de indruk van mijn puntenlijst, zei hij, dat hij dacht dat ik het waarschijnlijk wel zonder zijn hulp kan stellen. Hè, hè. Dat werd tijd.
Volgens mij speelt ook mee dat zijn zelfbeeld een te grote deuk heeft gekregen. Ook is de sfeer tussen hem en mijn moeder én hem en Myrthe er niet op vooruit gegaan (ik druk me voorzichtig uit). Niet ik, maar hij is de antiheld.
Míjn zelfbeeld gaat juist met sprongen vooruit. Ik voel me de brugklasser van het jaar. Geslaagd in mijn mission impossible, als waarlijke opvolger van onze vaderlandse held en meester-piraat Michiel de Ruiter.

Ik heb trouwens wel met mijn vader te doen, hoor. Misschien wordt het tijd dat ik hém eens ga coachen?

Vrijdag 12 oktober
Nooit meer vaderdag, laatste dag voor de vakantie

Anti-nahuwelijk 3

De voorraadkamer heeft een nieuwe functie gekregen. Het is nu de babykamer van Roel en Loesje. Myrthe zelf is in de logeerkamer getrokken.
Houdt de ellende dan nooit op?
Ik ga uit solidariteit en wegens concentratieproblemen – babygehuil leidt af – voorlopig bij mijn vader wonen. Hij heeft beloofd zich nooit meer met school te bemoeien. Maandag is de verhuizing.
Van mijn moeder kreeg ik nog een cadeautje. Om rampen te voorkomen? Om nog een bijdrage te leveren aan mijn opvoeding?
Het is een boek voor jongens, over alles wat ze over seks moeten weten. Blijkbaar weet ze het zelf niet, anders was ze goedkoper uit door het me te vertellen.
Ben jij nieuwsgierig? Rustig maar. Ik breng er heus wel verslag van uit, hoor.

Zaterdag 13 oktober
Eerste dag van de herfstvakantie

Nieuwsselectie

CRIMINELE EZEL
In Egypte heeft een ezel een celstraf van 24 uur uitgezeten, omdat hij een maïskolf van een akker gepikt had. De eigenaar van de ezel kreeg een boete van zes euro.

Zal vast helpen, tenslotte stoot een ezel niet twee keer zijn kop.

DUUR PARKEREN
In Den Bosch liet de gemeente voor haar 86 ambtenaren een volautomatische parkeergarage bouwen voor 3,9 miljoen euro. Helaas kwamen de auto's er verkreukeld en total loss weer uit tevoorschijn. Nu wordt de garage omgebouwd voor 2,9 miljoen tot een normale parkeergarage. Dat kost de gemeente dus ruim 79.000 euro per parkeerplaats.

Hoe vaak kun je daarvoor met de taxi naar je werk bij de gemeente?

LEKKER VEILIG
Veiligheid voor alles, denken Amerikanen. Daarom is alcohol voor jongeren verboden en zijn wapens toegestaan. In Westfield, Massachusetts, was onlangs een wapenbeurs.

Een jongetje van acht jaar mocht onder toezicht van volwassenen een uzi-machinegeweer uitproberen. Hij verloor de macht over het wapen. Dat vloog door de lucht, draaide in het rond en vuurde enkele kogels af. Daarbij werd de jongen door het hoofd geschoten. Hij overleed ter plekke.

Blij dat ik in het onveilige Nederland woon.

DRIEDUIZEND LEUGENS

Niet liegen, zeggen veel ouders tegen je. Poeh, moeten zij wat van zeggen. Ouders liegen gemiddeld zo'n drieduizend keer tegen je, heeft Thebabywebsite onderzocht. Ouders beweren bijvoorbeeld dat Sinterklaas alleen aan lieve kinderen cadeautjes geeft, dat je vierkante ogen krijgt van tv kijken en dat je sterk wordt van spinazie. Een kwart van de ouders probeert je wijs te maken dat je geslachtsdelen eraf vallen als je er te veel mee speelt.

Neem nooit iets van een ander aan zonder het zelf onderzocht te hebben. Bij mij zit hij er nog altijd aan!

NEE! NEE!

Zorg dat je antireclamestickers op je brievenbus hebt, als je die nog niet had. Je loopt anders kans dat gelovigen je een brief willen opdringen waarin ze beweren dat de evolutietheorie van Darwin niet bewezen is. Uit onderzoek is gebleken dat zo'n veertig procent van de Nederlanders niet in evolutie gelooft! Alsof evolutie een geloof is. Zeggen dat evolutie een geloof is, is net zoiets als beweren dat de zon om de aarde draait. Sommige mensen schijnen dat trouwens ook echt te denken.

Hoog tijd dat ik eens ten strijde trek. Ikzelf ben het levende bewijs van evolutie. Alleen uit mijn ouders kan zo'n minkukel als ik voortkomen.

NOOIT MEER STINKEN

Een twaalfjarige Britse jongen is overleden doordat hij te veel deo had opgespoten. In de badkamer stond geen raampje open en er kwam dus geen frisse lucht binnen. Daardoor raakte de jongen bewusteloos en kreeg een hartaanval.

Ik weet trouwens niet wat erger stinkt: een beetje zweet of een overdosis deo.

Zondag 14 oktober
Tweede dag van de herfstvakantie

Exclusief voor jou: mijn beste weblogtips

Zoals beloofd vandaag een minicursus weblog schrijven. Het is toch vakantie en ik heb niets beters te doen, want mijn spullen staan ingepakt voor de verhuizing morgen.

Het leuke van weblogs schrijven, is dat je ze meteen kunt publiceren. Je kunt net als ik je eigen weblogsite aanmaken, maar een Hyvespagina is natuurlijk ook goed. Kun jij jouw kijk op je leuke puberleven delen met de hele planeet. In principe dan, want om gelezen te worden, moet je je wel onderscheiden en dus bijzondere weblogs schrijven. Maar als je mijn aanwijzingen opvolgt, lukt het vanzelf.

1. Wat wil je?
Om te beginnen moet je bedenken wat je eigenlijk wilt met je weblog. Jouw mening aan anderen opdringen, jouw ontdekkingen met anderen delen, een discussie op gang brengen, een dagboek bijhouden (let wel op wat je zegt...) of een fantasiefiguur creëren?

2. Leer kijken
Zorg voor een aantekenboekje en schrijf daarin alles wat je opvalt of meemaakt. Je kunt ook foto's of tekeningen maken van wat je ziet. Om te kunnen schrijven moet je leren met nieuwe ogen naar bekende dingen te kijken. Neem niets zo-

maar aan en doe de dingen liefst anders dan anders. Dat moet niet al te moeilijk zijn, want dat doen pubers sowieso.

3. Voor wie schrijf je?

Sommige bloggers zeggen dat ze voor zichzelf schrijven. Dat is flauwekul. Wie op internet zit, schrijft voor publiek, voor lezers. En als je gelezen wilt worden, doe je er goed aan erover na te denken voor wie je eigenlijk wilt schrijven. Je doelgroep bepaalt de site waarop je blog staat, je toon, de dingen die je vertelt en de grapjes die je maakt.

Schrijf je voor je klasgenoten, alle leerlingen op school, je vrienden, een community met wie je een hobby/interesse deelt, je familie of alle jongeren in Nederland?

4. Pimp your personality

De meeste bloggers schrijven over zichzelf, als een soort dagboek. Het woord weblog is ook afgeleid van logboek op het web. Jammer dan, maar jouw dagelijkse shit is totaal niet interessant voor anderen. Alleen als je beroemd bent of je foto in elk blad staat en je een spannend leven hebt, kun je dat doen.

Je zult dus grappig moeten schrijven. Er zijn twee mogelijkheden:

1. Bedenk een leuk typetje, een echt *character* met een eigen taal en stopwoordjes. Wat voor kleren draagt hij, wat voor kapsel heeft hij?
2. Maak van jezelf een character door een bepaalde eigenschap te overdrijven. Maak van jezelf een sloddervos, pechvogel, een reddende engel, een extreme mopperkont, een under-

dog of een superheld. Bedenk een profiel en lieg en bedrieg alsof je leven ervan afhangt! Foto's en plaatjes erbij maken het nog leuker. Wat is je leukste karaktereigenschap en wat je vervelendste? Doe daar iets mee.

5. Wat is de plot?

In de werkelijkheid gebeuren allerlei dingen bij toeval. In een goede blog gebeurt niets toevallig. Een docent wordt nooit zomaar ziek. In jouw blog vertel je dat met een bedoeling. Het wordt het onderwerp van je blog. Je begint ermee en je eindigt je tekst ermee, zodat je commentaar af is en rond. Zoom daarop in. En zorg dat het ergens over gaat. Net als in een game moet jij of je personage een probleem overwinnen. Denk eraan dat je niet alles hoeft te vertellen. Pik gewoon iets grappigs of opmerkelijks uit wat je meegemaakt hebt.

En een speciale tip voor jou: als je hulp nodig hebt, mail je me toch?

Maandag 15 oktober
Naar Zwitserland!

Time-out

Ik zit deze blog op mijn kamer bij mijn vader te schrijven. Het fijne van zulke knipperlichtouders die last hebben van zelfgemaakte problemen, is dat je weinig fantasie nodig hebt voor je weblogs. De werkelijkheid overtreft alles.
Toch neem ik even een time-out met schrijven. Het is herfstvakantie en mijn vader en ik gaan vanaf morgen een weekje wandelen in de Zwitserse bergen. Ik laat mijn smartphone maar een keertje thuis. (Ik moet het abonnement tegenwoordig zelf betalen...) Na de vakantie breng ik wel verslag uit.

Als laatste dit: ik had het nooit verwacht, maar ik heb het overleefd!
Hè, wat is het toch absoluut supergeweldig, fantastisch cool in de brugklas!